PENSAR BIEN, SENTIRSE BIEN

Walter Riso

GRUPO
EDITORIAL
norma

Bogotá, Barcelona, Buenos Aires, Caracas, Guatemala,
Lima, México, Panamá, Quito, San José, San Juan,
Santiago de Chile, Santo Domingo

Riso, Walter
    Pensar bien, sentirse bien / Walter Riso. — Bogotá :
Grupo Editorial Norma , 2004.
    208 p. ; 21 cm.
    ISBN 958-04-8188-1
    1. Autoestima 2. Terapia cognoscitiva 3. Calidad de vida
4. Superación personal I. Tít.
155.25 cd 20 ed.
AHX5769

        CEP-Banco de la República-Biblioteca Luis Ángel Arango

Edición, Adriana Delgado E.
Diseño de cubierta, María Clara Salazar P.
Armada electrónica, Andrea Rincón G.

Este libro se compuso en caracteres Bembo

ISBN 958-04-8188-1

Para Eduardo,
por tantos años de
amistad cómplice y verdadera

Igual que cuando caminas tienes cuidado
de no pisar un clavo o de no torcerte un tobillo,
también debes cuidar de que no dañes la parte
que es dueña de ti, la razón que te conduce. Si
en todas las acciones de nuestra vida observamos
este precepto, obraremos rectamente.

Epícteto

Aunque podamos ser eruditos
por el saber de otros, sólo podemos
ser sabios por nuestra propia
sabiduría.

Montaigne

El hombre obra de acuerdo con su propia
naturaleza cuando entiende.

Spinoza

Contenido

Prólogo

Como en la mayoría de sus libros, en *Pensar bien, sentirse bien*, Walter Riso toma en consideración uno de los principales enemigos potenciales y reales del ser humano: el pensamiento. Sin duda la capacidad de pensar, de representarse el mundo a través de símbolos y de reflexionar acerca de nosotros mismos, ha sido el principal logro de la evolución humana. Pero, paradójicamente, esa cualidad, que es la mejor aliada del ser humano, por momentos puede convertirse en su peor enemiga y limitar sus posibilidades.

Hace muchos años, Mauricio González de la Garza, un columnista de un diario mexicano, titulaba así una de sus columnas: "No hay peor censura que la autocensura". Me impresionó demasiado aquel titular por su exactitud. Tenía razón: cuando la censura proviene desde lo íntimo de la persona, ésta se ubica muy próxima a la invalidez y a la incapacidad absoluta. Si la censura proviene de afuera, es posible que se la reconozca y se luche contra ella, pero si es intestina, es más difícil de reconócer, pues trae el sello de la "veracidad" inherente que le atribuimos a todo lo que pensamos sobre nosotros mismos.

Considero que Walter Riso ha sido un destacado psicólogo-escritor, que en su obra ha realizado un considerable aporte a la prevención del desajuste y del malestar que la irracionalidad de nuestro pensamiento puede causarnos, cuando esa irracionalidad obstruye el camino de la vida cotidiana en todos los campos donde aspiramos a la autorrealización, llámese relación de pareja, trabajo, creatividad o independencia. Esta contribución de Riso a la prevención del malestar psicológico alcanza un nivel superlativo en la presente obra, en la que no sólo hace una referencia exhaustiva a los aspectos particulares de la vida sobre los cuales se manifiesta el problema, sino además a la esencia misma de la irracionalidad del pensamiento.

"Pensar" es lo que más hacemos en la vida. Lo hacemos siempre en la vigilia y lo hacemos por momentos en el sueño. En esta última situación lo hacemos de una manera abiertamente distorsionada, pero sin consecuencias graves pues reconocemos con facilidad las alteraciones inducidas por el sueño y, por lo general, sólo les atribuimos un valor anecdótico. Pero las irregularidades del pensamiento durante la vigilia no son evidentes ni fáciles de reconocer. Es evidente que las creencias arraigadas son verdaderos motores que inspiran y mueven nuestra vida cotidiana. Su validez y veracidad no suele ser motivo de escrutinio o de duda, pero sus efectos sí pueden generar malestar y trastornos importantes. El pensamiento, visto de esta manera (como pensamiento irracional), es un enemigo que vive dentro de nosotros, invadiendo nuestra mente, sin que lo hayamos reconocido y sin que nos alertemos de su capacidad destructiva. Riso lo expresa así: "Una vez las creencias se organizan en la memoria las defendemos a muerte, no importa cuál sea su contenido. Quizás ésta sea la base de la irracionalidad humana".

Por ser la materia prima sobre la que está construida la vida mental, las creencias irracionales son difíciles de reconocer. Es mucho más sencillo señalar cualquier movimiento corporal y corregirlo cuando no se adapta al fin que pretendemos. Las creencias son intrínsecas al sistema, como la temperatura. Pero los estragos de la temperatura son fáciles de prevenir porque existen los termostatos físicos, como los que regulan el calentamiento del agua, que evitan que el calentador explote, o los termostatos biológicos, que regulan la temperatura del cuerpo y evitan que la fiebre o el frío nos consuman. Pero, ¿cuál es el termostato que regula la irracionalidad del pensamiento para conducirlo por cauces adaptativos y para prevenir sus daños? ¿Quién nos advierte si el procesamiento permanente que hacemos de la información externa e interna es correcto o distorsionado?

Solamente una especie de "duda metódica personal" puede cumplir esa función de termostato cognoscitivo. A mi juicio, *Pensar bien, sentirse bien* nos traza un método, un camino, que es esa especie de "duda metódica personal", como la cartesiana, que no pretende arrastrarnos por el camino del escepticismo sino por los derroteros de la racionalidad.

Las creencias que nos molestan difícilmente las desechamos o las trasformamos; tal vez porque ellas no tienen la capacidad de retroalimentación permanente (*feedback*), que sólo es posible alcanzar si conseguimos la metacognición: "Pensar sobre lo que pensamos". El *feedback* es básico para la adaptación y la evolución.

Esta nueva manera de pensar a la que nos conduce el libro de Riso, emanada de un análisis científico sobre el funcionamiento de la cognición humana, puede constituirse en un *feedback* que nos posibilite agregar algo de orden al caos que genera nuestra irracionalidad. Esta propuesta nos permite descubrir el autoengaño y cuándo y cómo hacemos uso de la economía cognoscitiva, intentando que la realidad se adecúe a nuestros pensamientos por irracionales que sean. Además, nos ayuda a reconocer el miedo a cambiar que siempre está presente y nos lleva a evitar negar los hechos del mundo real

La lectura de este libro de Walter Riso, con seguridad, va a colaborarnos para que no nos pase lo del joven que fue capaz de conquistar a la chica más guapa de la clase, sólo para concluir después, por la acción distorsionada de sus creencias maladaptativas, que se trataba de una chica que tenía pésimo gusto por haberse fijado en él...

Luis Flórez-Alarcón
Doctor en Psicología Experimental
Profesor Asociado del Departamento de Psicología
de la Universidad Nacional de Colombia

Introducción

La mente humana tiene una doble potencialidad. En ella habita el bien y el mal, la locura y la cordura, la compasión y la impiedad. La mente puede crear la más deslumbrante belleza o la más devastadora destrucción, puede ser la causante de los actos más nobles y altruistas o la responsable del egoísmo más infame. La mente puede dignificar o degradar, amar u odiar, alegrarse o deprimirse, salvar o matar, soñar hasta el cansancio o desanimarse hasta el suicidio.

Como veremos a lo largo de este libro, la mente humana no es un dechado de virtudes a la hora de procesar la información. Tal como sostenía Buda, ella es la responsable principal de nuestro sufrimiento. El conflicto es claro: no podemos destruirla ni prescindir de ella radicalmente, pero tampoco podemos aceptar la locura y la irracionalidad sin más. La complejidad de la mente no justifica resignarnos a una vida de insatisfacciones, miedos e inseguridades.

¿Qué hacer entonces? Conseguir que la mente se mire a sí misma, sin tapujos ni autoengaños, para que descubra lo absurdo, lo inútil y/o lo peligroso de su manera de funcionar. Que se sorprenda de su propia estupidez. Para cambiar, la mente debe hacer tres cosas: (a) *dejar de mentirse a sí misma (realismo)*, (b) *aprender a perder* (humildad) y (c) *aprender a discriminar cuándo se justifica actuar y cuándo no* (sabiduría). Realismo, humildad y sabiduría, los tres pilares de la revolución psicológica.

Puedes liberarte de las trampas de la mente y crear un nuevo mundo de racionalidad, donde la emoción esté incluida. Un pensamiento razonable y razonado que te lleve a crear un ambiente motivador donde vivas mejor y en paz contigo mismo. No me refiero al Nirvana o al Paraíso terrenal, sino a una vida bien llevada, la buena vida de los antiguos.

¿Es posible cambiar la mente? Mi respuesta es un contundente sí. Podemos revertir el proceso de irracionalidad que comenzó hace cientos o miles de años. Tenemos la capacidad de hacerlo. Basta ver las "mutaciones mentales" que ocurren en un sinnúmero de personas que han logrado sobrevivir a situaciones límites. Tenemos el don de la razón, de la reflexión autodirigida, de la autoobservación, de pensar sobre lo que pensamos. Somos capaces de *darnos cuenta de los errores* y *desaprender lo que aprendimos*. Ésa es mi experiencia como terapeuta.

Este libro es el producto de años de investigación en el área cognitiva del comportamiento, es decir, del *sistema de procesamiento de información humano*, tanto en la actividad clínica como en la vida académica. Mi intención ha sido divulgar los avances más importantes en Terapia Cognitiva para que el público se informe e intente aplicar algunos principios que han demostrado ser especialmente útiles en un sinnúmero de trastornos psicológicos y dificultades de la vida diaria. Creo que la psicología cognitivo-comportamental ha evolucionado mucho en el último cuarto de siglo y ya es hora de que intentemos hacer promoción y prevención de salud psicológica.

Pensar bien, sentirse bien va al encuentro de los antiguos y representativos racionalistas sin oponerlos a la moderna terapia cognitivo-informacional. Creo que el auge de la Nueva Era y ciertas corrientes postmodernas y postracionalistas (que piensan que la emoción prevalece sobre la razón) han creado una serie de malos entendidos sobre la importancia del pensamiento racional en el proceso del bienestar humano. Para algunos fanáticos (que nada tienen que ver con el movimiento de la inteligencia emocional, el cual respeto mucho), "pensar racionalmente" es improductivo y poco recomendable. Pero, si el pensamiento está *out*, no tenemos esperanza de cambio. Toda la investigación actual en psicología apunta a lo mismo: *si pensáramos mejor, actuaríamos mejor.*

Esto no implica negar la importancia que la emoción y el afecto tienen en el comportamiento humano. Habrá ocasiones en las cuales *pensamos mal porque nos sentimos mal* y otras en las que *nos sentimos mal porque pensamos mal.* El énfasis dependerá del caso. Si sufres de un síndrome premenstrual, *pensarás mal porque te sientes mal* (es posible que te invada el pesimismo o que empieces a ver a tu marido como el peor de los idiotas). Pero si padeces de un trastorno obsesivo compulsivo, es muy probable que *pensar mal hará que te sientas mal.* No se trata de negar el pensamiento, sino de aprenderlo a usar, de ponerlo en su lugar y potenciar sus posibilidades.

La compleja capacidad de razonar con la que contamos nos aleja de nuestros antecesores animales, no importa lo que digamos y las analogías que pretendamos establecer a partir de las similitudes bioquímicas halladas con los primates. El problema no sólo es cuantitativo, sino cualitativo. Nadie niega que algunos primates también tengan cierto nivel de autoconciencia, pero en el ser humano la capacidad de autorreflexión alcanza un grado notable de expansión que, entre otras muchas cosas, le permite preguntarse por el sentido de la vida, trascender psicológica y espiritualmente y mostrar una creatividad sin límite.

La mente inventa la cultura, o mejor, *es* la cultura. Tal como decía Fromm, tenemos la capacidad de vivir en una contradicción permanente entre lo que en verdad somos y lo que quisiéramos ser. Provenimos de la naturaleza, pero nos alejamos de ella en tanto somos individuos que se piensan a sí mismos, capaces de amar y dar nuestra vida por un ser querido o un ideal, contradiciendo el más elemental instinto de supervivencia. Amor y razón, los motores de la humanización. Odio e irracionalidad, la fuerza deshumanizante, el retroceso, la involución.

El texto consta de tres partes y dos anexos prácticos.

La Parte I se refiere a la *Testarudez de la mente y su resistencia al cambio*. Aquí, partiendo de los hallazgos más recientes en el procesamiento de la información en humanos, intento mostrar cómo la mente es un sistema que se autoperpetúa a sí mismo y que, por tal razón, rechaza, ignora o distorsiona aquella información que no concuerda con sus creencias. En el Anexo I (*Pensar bien*), a través de ejemplos y casos concretos, encontrarás sugerencias prácticas para atacar los sesgos o errores cognitivos y facilitar una actitud hacia el cambio

La Parte II hace referencia a los *Malos Pensamientos*, donde analizo y discuto seis pensamientos negativos típicos que afectan nuestro bienestar emocional. En el Anexo II (*Pensar bien*), encontrarás sugerencias prácticas para modificar estos pensamientos mediante técnicas cognitivo-conductuales de fácil aplicación.

En la Parte III, *Esquemas saludables*, me conecto con el tema de la calidad de vida y con los estilos que impiden su desarrollo normal. Esta parte no tiene anexo porque su contenido es suficientemente ilustrativo. Los cinco esquemas que trato están ligados a un conjunto de principios filosóficos que han pregonado algunos pensadores de vieja data como Epícteto y los estoicos, el Maestro Eckhart, Montaigne, Spinoza y Kant, y otros más recientes como Peter Singer, Jakélévich, Derrida y Comte-Sponville. Mi intención es buscar un punto de unión entre la sabiduría práctica y la psicología aplicada.

Puedes abordar la lectura del libro de varias maneras. Puedes leer las Partes I, II y III y luego, si te interesa, ir a los Anexos I y II para tratar de aplicar los principios a la vida diaria. O bien puedes leer la Parte I e ir inmediatamente a la aplicación práctica del Anexo I, para luego volver a la Parte II y continuar más tarde con la aplicación práctica del Anexo II. En fin, el texto es tuyo. La experiencia me ha enseñado que los lectores definen la propia forma de abordar la lectura, incluso en contra de lo que intentó realizar sesuda y lógicamente el autor.

Finalmente, este libro va dirigido a cualquier persona que quiera aprender a conocerse a sí misma y descubrir cómo funciona su mente, para luego decidir si vale la pena intentar modificarla o no. También está orientado a profesionales de la salud mental y la salud en general que deseen utilizar su contenido como ayuda para la terapia con sus pacientes.

Pensar bien es una posibilidad que vale la pena ensayar, no importa el camino que elijas. Mi propuesta se fundamenta en la terapia cognitiva y los modelos de procesamiento de la información, pero existen otras opciones igualmente válidas. Cada quien debe descubrir la manera personal de adentrase en sí mismo y, tal como decía Krishnamurti, navegar por el laberinto de la mente hasta desenredar la madeja de sus propios pensamientos

Pensar bien, sentirse bien pretende ser una propuesta seria y fundamentada para comenzar a pensarse a sí mismo de un modo más racional y saludable.

Parte I

LA TESTARUDEZ DE LA MENTE Y LA RESISTENCIA AL CAMBIO

La mente humana es perezosa. Se *autoperpetúa a si misma*, es llevada de su parecer y con una alta propensión al auto-engaño[1,2,3]. En cierto sentido, creamos el mundo y nos encerramos en él. Vivimos enfrascados en un diálogo interior interminable donde la realidad externa no siempre tiene entrada. Buda decía que la mente es como un chimpancé hambriento en una selva repleta de reflejos condicionados. Tu mente, al igual que la mía, es hiperactiva, inquieta, astuta, contradictoria. La mente no es un *sistema de procesamiento de la información* amigable, predecible y fácilmente controlable, como ocurre con muchos computadores; nuestro aparato psicológico tiene intencionalidad, motivos, emoción y expectativas de todo tipo. La mente es egocéntrica, busca sobrevivir a cualquier costo, incluso si el precio es mantenerse en la más absurda irracionalidad.

Carlos, un joven de 17 años, cree que su cara se parece a una vejiga porque, según él, el cuello es demasiado ancho respecto de la cabeza. Carlos no está loco ni sufre de daño neurológico alguno, sin embargo, se detesta y se ve monstruoso cada vez que mira su imagen en el espejo. Cuando se le midió la proporción cabeza-cuello para "demostrarle" que estaba dentro de los parámetros normales, rechazó enfáticamente el procedimiento. Dijo que las estadísticas estaban equivocadas y que el terapeuta pretendía engañarlo para evitarle el sufrimiento. Carlos padece un *trastorno dismórfico corporal*, cuya característica es una distorsión de la autoimagen expresada como: "Preocupación por algún defecto imaginado o exagerado del aspecto físico"[4]. De más está decir que Carlos no tiene ningún defecto físico.

En estos casos, el *error en la percepción* de la imagen corporal es evidente para todos, menos para quien padece el trastorno, que se empeña en defender su punto de vista aun a sabiendas de que tal creencia le está destruyendo la vida.

La pregunta que surge es obvia: ¿Por qué en determinadas situaciones continuamos defendiendo actitudes negativas y autodestructivas a pesar de la evidencia en contra? ¿Por qué permanecemos atados a la irracionalidad pudiendo salirnos de ella? Anthony de Mello decía que los humanos actuamos como si viviéramos en una piscina llena de mierda hasta el cuello y nuestra preocupación principal se redujera a que nadie levantara olas. Nos resignamos a vivir así, limitados, atrapados, infelices y relativamente satisfechos, porque al menos mantenemos los excrementos en un nivel aceptable. Conformismo puro. La revolución psicológica verdadera sería salirnos de la piscina, pero algo nos lo impide, como si estuviéramos anclados en un banco de arena movediza que nos chupa lentamente. El pensamiento que nos prohíbe ser atrevidos y explorar el mundo con libertad está enquistado en nuestra base de datos: "Mas vale malo conocido que bueno por conocer". La piscina.

La mayoría de las personas mostramos una alta resistencia al cambio. Preferimos lo conocido a lo desconocido, puesto que lo nuevo suele generar incomodidad y estrés. Cambiar implica pasar de un estado a otro, lo cual hace que *inevitable-*

mente el sistema se desorganice para volver a organizarse luego asumiendo otra estructura. Todo cambio es incómodo, como cuando queremos reemplazar unos zapatos viejos por unos nuevos. Teilhard de Chardin[5] consideraba que todo crecimiento está vinculado a un grado de sufrimiento. El cambio requiere que desechemos durante un tiempo las señales de seguridad de los antiguos esquemas que nos han acompañado durante años, para adoptar otros comportamientos con los que no estamos tan familiarizados ni nos generan tanta confianza. Crecer duele y asusta.

La novedad produce dos emociones encontradas: miedo y curiosidad. Mientras el miedo a lo desconocido actúa como un freno, la curiosidad obra como un incentivo (a veces irrefrenable) que nos lleva a explorar el mundo y a asombrarnos.

Aceptar la posibilidad de renovarse implica que la curiosidad como fuerza positiva se imponga a la parálisis que genera el temor. Abandonar las viejas costumbres y permitirse la revisión de las creencias que nos han gobernado durante años requiere de valentía.

Ahora bien, podemos llevar a cabo la ruptura con lo que nos ata de dos maneras: (a) lentamente, en el sentido de *desapegarse, despegarse,* o (b) de manera rápida, lo cual implica "aceptar lo peor que podría ocurrir" de una vez por todas, en el sentido de *soltarse, saltar al vacío,* jugársela sin anestesia.

Las teorías o las creencias que hemos elaborado durante toda la vida sobre nosotros mismos, el mundo y el futuro se adhieren a nuestra psiquis, se mimetizan con todo el trasfondo informacional y las convertimos en verdades absolutas. Le hacemos demasiado caso a las creencias que nos han inculcado de pequeños. Si toda la vida te han dicho que eres un inútil, es probable que tu mente se crea el cuento y organice una base de datos sólida alrededor de la incompetencia percibida. Entonces, decir: "Soy inútil" es mucho más que una opinión, es una *revelación convertida en dogma de fe*. El *slogan* educativo con los años se convierte en un mandato difícil de ignorar: "Si mis padres y amigos me lo dicen, por algo es". Así nace el *paradigma*, es decir, la *certeza incontrovertible* de que soy como me han dicho que soy.

Desde pequeña, Clara siempre había sido considerada la "menos capaz de la familia", tanto por sus hermanas como por sus padres y maestros. La mujer no había sido disciplinada, estudiosa y acatada como esperan la mayoría de los centros educativos, sino más bien hiperactiva e impulsiva. A sus treinta años, se mostraba distraída, rebelde y poco convencional. Su espíritu creativo e inquieto la había llevado a estudiar artes plásticas y danza, mientras sus dos hermanas habían preferido carreras más tradicionales. Para orgullo de su padre, un empresario exitoso y de gran reconocimiento social, la hermana menor había estudiado ingeniera de sistemas y la mayor había obtenido una maestría en administración de negocios.

Clara no era precisamente una oveja negra, pero sí parecía de otra familia. Se vestía de manera extravagante, le gustaba la Nueva Era, leía poesía, no se había casado y tenía actividades que su núcleo familiar consideraba como "poco normales".

En cierta ocasión participó en una manifestación a favor del matrimonio entre homosexuales, lo que llevó a su madre a pensar que necesitaba ayuda psicológica y le consiguió una cita con un psiquiatra que además era cura.

Clara incorporó desde su temprana infancia mensajes negativos relacionados con su desempeño y desarrolló un *esquema de incapacidad* con el cual luchaba de tanto en tanto sin mucho éxito. En cierta ocasión el padre de Clara me manifestó su preocupación ante la posibilidad de que ella sufriera de ciertas limitaciones intelectuales.

Si el esquema de inseguridad permanecía desactivado, se aceptaba a sí misma de manera incondicional, era alegre y derrochaba sentido del humor. Pero si el esquema negativo se activaba (por ejemplo, si fracasaba en algún proyecto o si alguien la comparaba con su hermanas o si su padre la ignoraba) dejaba de ser la mujer feliz y chispeante para convertirse en una persona insegura, retraída e irritable. Cuando la idea de incapacidad se imponía, no había razones ni argumentos que la pudieran hacer cambiar de opinión. En esos momentos "oscuros", como ella los llamaba, dudaba de todo y pensaba que su vida no tenía sentido, buscaba desesperadamente la aprobación de su padre y odiaba a sus hermanas.

Un día cualquiera un acontecimiento inesperado modificó la relativa calma familiar: le diagnosticaron cáncer de próstata al padre de Clara. Su madre y las dos hermanas se derrumbaron. La ingeniería de sistemas y los negocios internacionales no podían hacer mucho para ayudar al pobre hombre. Contra todo pronóstico, fue Clara quien le puso el pecho a la adversidad y lideró la cuestión.

Durante el año y medio que duró el tratamiento, la "hija limitada" se convirtió en el principal soporte afectivo de la familia. Les enseño a meditar, impuso la sana costumbre de expresar emociones y defendió el derecho del enfermo a saber la verdad. Se entendió con los médicos y con la depresión de su padre, estudió el tema del cáncer a profundidad y "gerenció" todo el proceso de cura. En fin, Clara mostró que tenía el don de una "fortaleza amable" y una excelente aptitud para enfrentar las situaciones difíciles, una cualidad que había pasado desapercibida para todos, incluso ella misma. Lo más interesante es que por primera vez actuó sin buscar la aprobación de nadie. Su argumento era concluyente: "Me nace".

Las situaciones límite siempre nos confrontan y si somos capaces de aprovecharlas, podemos revisar nuestra mente a fondo. Las situaciones límite pueden hundirte o sacarte a flote, conformar un *síndrome de estrés postraumático* o formatear el disco duro. Las creencias más profundas se tambalean cuando nuestras señales de seguridad desaparecen, y allí el cambio es inevitable.

Después de la dolorosa experiencia, el *esquema de ineficacia* de Clara perdió fuerza. De manera similar, el estereotipo familiar de creerla "muy rara" desapareció y fue reemplazado por una actitud más positiva y respetuosa frente a ella. Pese a las mejorías, Clara pidió ayuda profesional y su autoeficacia subió como espuma. La terapia logró instalar un nuevo esquema adaptativo: "Soy capaz, el mundo no es tan crítico como pensaba, y si lo fuera ya no me importa. Mi futuro está en mis manos, en buenas manos".

La conclusión parece obvia: nos convencemos de lo que somos, asumimos el papel que el medio nos asigna como si fuéramos ratones de laboratorio.

Pero cabe la pregunta: ¿Y si no hubiera situaciones límite que nos precipiten al cambio? ¿Si nuestra vida se quedara anclada a la rutina y a la resignación de sufrir por sufrir? Sencillo y complejo a la vez: debemos crear nosotros mismos las condiciones límite. Hay que crear la capacidad de pensarse y repensarse a la luz de nuevas ideas. Los procedimientos psicológicos más eficientes para que el cambio se genere consisten en llevar al paciente, de manera adecuada y responsable, a enfrentar lo temido, lo desconocido o lo inseguro. Es allí, durante la exposición en vivo y en directo, que la realidad se encarga de actualizar nuestro *software*, de curarnos, de ponernos en el camino de la racionalidad y enderezar la distorsión.

Una vez las creencias se organizan en la memoria, las defendemos a muerte, no importa cuál sea su contenido. Quizás ésta sea la base de la irracionalidad humana. Dicho de otra forma: *una vez instaladas las creencias, defendemos por igual las saludables y las no saludables, las racionales y las irracionales, las correctas y las erróneas, aun cuando nuestro lado consciente piense lo contrario.*

¿Por qué no somos capaces de descartar lo inútil, lo absurdo o lo peligroso de una vez? Siguiendo a Krishnamurti[6], si vemos un precipicio no necesitamos hacer cursos de Precipicio I, Precipicio II y Precipicio III para concientizarnos del riesgo. El hecho se impone, la *percepción directa* es suficiente: vemos el peligro y no dudamos en retirarnos, "entendimos", y punto. ¿Por qué entonces en la vida cotidiana caemos tantas veces por el precipicio? ¿Por qué repetimos los mismos errores? ¿Por qué nos cuesta tanto asumir una actitud racional frente a los problemas? ¿Somos masoquistas, ignorantes o testarudos?

Recuerdo a un señor que temía tragarse la lengua. Dormía sentado, sólo se alimentaba de líquidos y apenas lograba comunicarse con los demás, pues trataba de mantener la lengua quieta (¡el órgano más móvil de nuestro cuerpo!). Como tal objetivo era prácticamente imposible de alcanzar, el señor se sentía todo el tiempo al borde de una muerte por asfixia. El pensamiento automático que lo invadía una y otra vez era terrible: "Si me trago la lengua, moriré". Obviamente el temor formaba parte de un síndrome más complejo que no detallaré aquí. Lo que me interesa señalar es que ninguna explicación lógica y racional sobre la imposibilidad de tragarse la lengua funcionó. La única estrategia que mostró resultados positivos fue exponerse a lo temido: "¡Tráguese la lengua, inténtelo, a ver si es capaz!" Después de varios ensayos infructuosos, la retroalimentación fue concluyente: "Sí, usted tenía razón, no puedo", dijo evidentemente aliviado.

¿Qué proceso intervino para que mi paciente finalmente lograra modificar su creencia irracional? *La realidad*, ella se impuso de manera correctiva, *los hechos le mostraron de manera irrefutable lo absurdo de su creencia*. Una experiencia vital vale más que mil palabras (o muchas horas de consulta). La información que llega de la experiencia directa es mucho más terapéutica que la teoría, aunque las dos son necesarias. Como veremos en la tercera parte del libro, la primera es la fuente de la sabiduría y la segunda, el fundamento de la erudición. Conozco muchas personas desbordantes de conocimiento científico pero sin sentido común.

El camino es aquietar la mente e inducirla a que se mire a sí misma *de manera realista*. Una mente madura, equilibrada y que aprenda a perder. Una mente humilde, pero no atontada. Una mente abierta al mundo, vigorosa y con los pies en la tierra.

Al menos tres aspectos influyen para que la mente se cierre sobre sí misma y viva en el autoengaño: (a) la economía mental o cognitiva, (b) las profecías autorrealizadas y (c) las estrategias evitativas y compensatorias. (En el *Anexo I: Aplicaciones prácticas de la Parte I*, daré algunas indicaciones de cómo atacar estas distorsiones). Veamos cada una en detalle.

Economía cognoscitiva o la ley del mínimo esfuerzo

Como ya dije, la mente humana es supremamente conservadora[7]. El principio que maneja nuestro aparato psicológico es impactante: *cuando la información que llega al organismo no coincide con las creencias que tenemos almacenadas en la memoria, resolvemos el conflicto a favor de las creencias o esquemas ya instalados, es decir, nos hacemos trampa*[8]. Le creemos demasiado a las creencias, porque es más cómodo no cuestionarnos a nosotros mismos.

La mente humana *autoperpetúa* constantemente la información que tiene almacenada.

Supongamos que un profesor racista está convencido de que los estudiantes negros son menos inteligentes que los blancos (*creencia o esquema segregacionista*) y resulta que en los últimos exámenes los puntajes más altos correspondieron a los estudiantes negros. Como consecuencia de lo anterior, su mente entrará en una fuerte contradicción, ya que los hechos no concuerdan con la expectativa generada por su esquema racista: ¡Los estudiantes blancos obtuvieron los puntajes más bajos! Para resolver el conflicto, el hombre tiene, al menos, tres opciones:

a) Revisar la creencia y reemplazarla por otra: "Los alumnos negros *son* tan o más inteligentes que los alumnos blancos".

b) Calibrarla o crear excepciones a la regla: "*No todos* los alumnos negros son menos inteligentes que los alumnos blancos".

c) Negarse a revisar la creencia o buscar excusas: "Con seguridad hicieron trampa", "El examen estuvo demasiado fácil" o "Fue pura suerte".

Lo sorprendente es que la mayoría de los humanos elegimos la opción (c).

Lo que coincide con nuestras expectativas lo dejamos pasar y lo recibimos con beneplácito, lo que es incongruente con nuestras creencias o estereotipos lo ignoramos, lo consideramos "sospechoso" o simplemente lo alteramos para que concuerde con nuestras ideas preconcebidas.

La economía mental parte del siguiente principio: *es menos gasto para el sistema conservar los esquemas que tenemos almacenados que cambiarlos.*

Si el profesor racista decidiera ubicarse en el punto (a) y cambiar de manera radical su creencia segregacionista por una más benigna, ello entrañaría un esfuerzo considerable, de manera similar a cuando formateamos un disco duro. Si la revisión de la idea racista se hiciera de manera adecuada y consecuente debería incluir un paquete completo de modificaciones, como por ejemplo: dejar de frecuentar amigos racistas, acabar con otras ideas prejuiciosas relacionadas, acercarse a la gente negra y establecer vínculos con ella, en fin, *habría que destruir una historia y comenzar a construir otra.*

Por otra parte, si el supuesto profesor eligiera como solución el punto (b), actuaría como el mejor de los reformistas: "Sigo siendo racista, pero no de línea dura… Hay algunos negros que parecen blancos, hay algunos negros que son buenos…". Se crearía una excepción a la regla, una especie de subrutina, para hacer más "flexible" el esquema. Sin embargo, muchos principios no admiten semejante tibieza ni puntos medios. Definirse como "un poco racista" sería como decir que uno es "un poco asesino". Ubicarse en el punto (b) implicaría entonces mantener el esquema sin integrar satisfactoriamente la información contradictoria. Recordemos a Susanita cuando le decía a Mafalda que no odiaba a los obreros porque ellos no tenían la culpa de ser tan horribles.

De lo anterior queda claro que el cambio real implica modificar muchos factores asociados a las creencias y que esa modificación supone un costo que no siempre estamos dispuestos a asumir.

Un hombre se encuentra con otro, lo saluda efusivamente, y le dice: "¡Hola, Ernesto! ¡Qué alegría verte! ¡Cómo has cambiado, no pareces el mismo! ¡Estás más alto, tu piel se ve más blanca y tus ojos ya no son azules!" El otro responde: "Lo siento, usted está equivocado... Yo no soy Ernesto...". Entonces el hombre agrega sin titubear: "¡Es increíble, hasta de nombre has cambiado!" Así funciona la mente: si no gana, empata.

La economía mental, la que nos mantiene atados a los viejos hábitos, depende de una serie de mecanismos erróneos llamados sesgos. Con fines didácticos, me referiré solamente a los tres más importantes: *sesgos atencionales, sesgos de memoria y sesgos perceptuales*. Es importante aclarar que aunque los abordaré por separado, en la práctica, todos operan conjuntamente.

1. Sesgos atencionales

Cuando prestamos atención, no lo hacemos de manera objetiva y desprevenida.[9,10,11] Por ejemplo:

- Si una persona tiene un *esquema de incompetencia* ("No soy capaz") su atención estará más orientada a detectar *fallas* que *aciertos* personales, lo cual fortalecerá cada vez más su idea de incapacidad personal.

- Si alguien ha creado un *esquema de abandono* ("La gente que amo tarde que temprano me abandonará"), la mente estará más atenta a destacar señales de rechazo que indicadores de afecto positivo.

- Un *esquema de grandiosidad* (narcisismo) hará que la persona esté más atenta a los elogios que a las críticas.

La atención trabaja al servicio de los esquemas que tenemos. No es libre, sino esclava de las creencias. Vemos lo que nos conviene, sacrificamos el todo, lo real, por aquellas partes o trozos de información que concuerdan con nuestra motivación básica. Veamos un caso.

Juana era una muchacha de 23 años, muy insegura en el amor porque se sentía poco interesante y "no querible". Con todos los jóvenes con los que había mantenido relaciones le pasaba lo mismo. A los pocos días de cada romance, la duda hacía su aparición: "Cuando me conozca bien, se va sentir decepcionado y me va a dejar". La activación de su *esquema de inamabilidad* hacía que su atención se concentrara más en los indicios negativos (aburrimiento, cansancio, distracción de su pareja) que en las manifestaciones positivas de amor (alegría, interés, expresiones de afecto). Consecuente con lo anterior, su mente contabilizaba más lo malo que lo bueno y confirmaba (erróneamente) el esquema de "antiamor" del cual era víctima.

Como resulta obvio, ninguna relación prosperaba. De manera sistemática, al cabo de uno o dos meses la contabilidad mostraba un saldo en rojo de proporciones enormes y ella optaba por retirarse antes de que su compañero la dejara por "poco interesante". Lo contradictorio de las predicciones de Juana era que los hombres de los cuales ella prescindía no se resignaban a la pérdida y seguían llamándola de manera insistente para tratar de reiniciar la relación.

La atención debe ser balanceada. Ver todo: lo bueno y lo malo. No podemos fraccionar la vida como si se tratara de una cuestión de compra y venta. Ver todo, estar en contacto pleno con la realidad. Tomar conciencia de los esquemas que dirigen nuestra atención y completar la observación con lo que nos quedó por fuera. Ver la belleza del bosque, sin dejar escapar la belleza de cada árbol.

Prestar atención a la atención, vigilar al observador para hacerlo más objetivo y honesto. La atención sesgada perpetúa las teorías negativas que tenemos de nosotros mismos, el mundo y el futuro y crea condiciones irreales de confirmación. La mejor manera de poner a tambalear un esquema negativo y comenzar a desprenderse de él, es concentrar la atención en todos los aspectos de la realidad que nos rodea.

2. Sesgos de memoria

Nuestros recuerdos no son tan pulcros y objetivos como nos gustaría. A diferencia de lo que nos sugiere el sentido común, la memoria no permanece inalterable a través de los años[12, 13]. Si pudiéramos viajar al pasado estoy seguro de que nos sorprenderíamos al ver cómo los hechos acaecidos no fueron como los recordamos. Embellecemos o dramatizamos nuestro pasado y luego tomamos decisiones con base en esos datos alterados.

De manera similar a lo que ocurre con los sesgos atencionales: *recordamos más fácil y mejor aquello que concuerda con nuestros esquemas o creencias almacenadas.* Autoengaño por todas partes. Por ejemplo:

- Si estoy convencido de que soy torpe, recordaré más fácilmente situaciones de torpeza que situaciones en las que he sido hábil o diligente.

- Si creo que no soy digno de amor, recordaré con más frecuencia fracasos afectivos que los buenos momentos de amor.

- Si pienso que un amigo es desleal, es probable que recuerde más sus intrigas (así sea una) que sus actos de compañerismo (así sean muchos).

Diego era un hombre de 32 años al que se le había diagnosticado una depresión mayor. Lo que más lo atormentaba eran los sentimientos de inseguridad en el trabajo. Había llegado un nuevo jefe supremamente exigente que lo había intimidado desde el primer día. La consigna del mandamás era demoledora para la mayoría: "El que no rinde se va" (todavía hay gente que piensa que el miedo es un buen motivador para aprender y aumentar el rendimiento, lo cual no es cierto). Aunque el comportamiento laboral de Diego siempre había sido muy bueno, un viejo *esquema de incompetencia* y otro de *autocrítica* se activaron de inmediato. Su memoria comenzó a recordar de manera obsesiva fallas anteriores, no sólo en lo referente al trabajo sino en otras áreas. Como nadie está exento de haber cometido errores, la búsqueda confirmaba su "incompetencia" una y otra vez. Por otra parte, la autocrítica incrementaba el autocastigo y la depresión, lo que hacía que los recuerdos negativos sobre sí mismo cobraran más fuerza.

Además de las creencias, el estado de ánimo también ayuda a sesgar la memoria: la tristeza hace que recuperemos más información depresiva y la ansiedad que recordemos más eventos trágicos o catastróficos. Este fenómeno se denomina *aprendizaje dependiente del estado*[14]. Diego estaba atrapado en una trampa: cuánto más se autocriticaba y más incrementaba su depresión, más se autocastigaba con los malos recuerdos.

Para romper el círculo vicioso hubo que intervenir no sólo a nivel psicológico sino también psiquiátricamente. Al cabo de unos meses de terapia, expresó así su sentir: "Estaba en un hueco oscuro, como un torbellino que me hundía cada vez más hacia un sinsentido... Algo me arrastraba a la autodestrucción, sentía que la amargura crecía en mí, cada día me quería menos y no era capaz de identificar la causa... Era como estar poseído...". Y no estaba tan lejos de la verdad, estaba poseído, pero de sí mismo. La memoria puede ser la mejor compañera o la peor enemiga.

Además de los esquemas, nuestros recuerdos también están afectados por el tiempo. La información que almacenamos en la memoria no queda estática para siempre, sino que se altera con la entrada de nuevos datos. Ésa es la razón por la cual existen los falsos recuerdos de los cuales no somos conscientes. Juramos que esto o aquello fue así, pero la distorsión existe ¿Quién no se ha sorprendido alguna vez cuando volvemos a un sitio en el cual habíamos estado hace muchos años y descubrimos que era más pequeño o más grande, más lindo o más feo, menos oscuro o más tenebroso de como lo recordábamos?

Así que todo lo que recuerdes puede estar sesgado por los esquemas y por el tiempo mismo. Es mejor sospechar de la remembranza. No digo que haya que desarrollar una amnesia protectora, sino que es bueno tomar con pinzas aquellos momentos que confirman tu malestar, tu alteración y tu dolor. Memoria balanceada, razonada y razonable. Memoria discriminada en la convicción de que no todo lo que brilla es oro, ni nada es tan horrible o tan espectacular como el pasado nos sugiere.

3. Sesgos perceptivos

El proceso de percepción no es pasivo. Algunos filósofos como Locke pensaban que la mente obra como una tabla rasa, es decir, que somos una especie de pantalla en blanco donde la realidad objetiva se imprime en ella tal cual es y sin distorsión alguna. Como ya dije, hoy sabemos que no es así: *el ser humano construye en gran parte su mundo interior.* Somos activos procesadores de la información, afectamos el ambiente y el ambiente nos afecta.

Los sesgos perceptivos hacen referencia a las interpretaciones irracionales, erróneas o ilógicas que hacemos de los hechos.[15,16,17] Son conclusiones equivocadas que sacamos a partir de lo que observamos o recordamos.

Se dio que en una reunión social, un joven homosexual con sida hizo un comentario sobre las connotaciones místicas del orgasmo. Según él, la sexualidad es una vía de comunicación con Dios ya que en el clímax el tiempo psicológico desaparece. Uno de los asistentes, que conocía la enfermedad del hombre, no pudo esconder su disgusto ante el comentario: "No me parece que la sexualidad sea el camino más seguro para alcanzar la espiritualidad. Esa concepción puede llevar fácilmente a la promiscuidad. La vida desordenada sólo conduce a problemas, por eso pienso que deberíamos ver el sexo con más responsabilidad". Acto seguido se levantó y se fue.

Después supe que la persona que se había ofuscado pensaba que los portadores del VIH eran "enfermos sexuales". Partiendo de ese estereotipo, había *percibido* la opinión del joven homosexual como una apología a la promiscuidad. Guiado por su creencia "antisida", realizó una *interpretación errónea* de la información, una *inferencia arbitraria* a favor de su presunción. Dicho de otra forma: a partir de una premisa falsa ("La gente con sida es promiscua") interpretó unos hechos de manera inadecuada. El silogismo se completó con la siguiente conclusión: "Él tiene sida, por lo tanto es promiscuo y no tiene autoridad moral para hablar de la sexualidad como lo hace".

Gran parte del tiempo generamos deducciones equivocadas. Es claro que no somos los mejores estadísticos naturales ni los mejores razonadores: un gesto, una mirada, un ademán o un silencio pueden ser mal percibidos si existen creencias rígidas que orienten nuestro pensamiento. El prejuicio es una enfermedad en cualquiera de sus formas y los errores de interpretación su consecuencia obvia.

Los sesgos perceptivos te hacen ver lo que no es. Te obligan a llegar a conclusiones equivocadas donde tú eres el centro de todo. Es verdad que no hay percepción totalmente descontaminada, pero de todas maneras hay que intentar viciarla lo menos posible. La mejor estrategia para combatir el sesgo perceptivo es la verificación consciente, que consiste en revisar las premisas de las cuales partes y examinar el proceso por el cual llegas a ciertos resultados.

Las generalizaciones apresuradas son peligrosas porque siempre hay excepciones a la regla que puedes ignorar. Lo ideal es, como verás más adelante, lentificar el proceso perceptivo, observarlo como si se tratara de una película en cámara lenta, estudiarlo paso a paso para no dejar entrar la distorsión.

Las profecías autorrealizadas

La *profecía autorrealizada* es la mayor expresión del autoengaño.[18,19,20] El mecanismo es como sigue: parto de una profecía o anticipación de algo que va ocurrir, después hago todo lo posible para que la profecía se cumpla (casi siempre de manera no consciente) y finalmente concluyo que la profecía se cumplió: "Yo dije que esto iba a pasar". Por ejemplo:

- *Profecía*: Pienso que alguien no me quiere o le caigo mal.

- *Conducta confirmatoria*: Me alejo o trato de manera seca y antipática al otro, anticipándome al rechazo.

- *Consecuencia confirmatoria*: La persona responde a mi trato antipático de manera indiferente o poco amable.

- *Ratificación de la profecía*: Concluyo que yo tenía razón, que definitivamente no le caigo bien.

La secuencia es totalmente autoconfirmatoria. Damos por sentado lo mismo que queremos demostrar y alteramos los datos para que concuerden con las hipótesis. Recordemos que los esquemas siempre intentan autoperpetuarse, sean buenos o malos, y ésta es una de sus maneras preferidas.

En ocasiones las profecías autorrealizadas obran de manera más elemental, pero no por ello menos perjudiciales para la persona. Recuerdo el caso de un hombre hipocondríaco que comenzó a tener pensamientos recurrentes sobre la posibilidad de desarrollar cáncer en uno de sus testículos. En especial le preocupaba el izquierdo, el cual se palpaba continuamente para asegurarse de que "no estuviera más grande". El problema era que la manipulación lo inflamaba y terminaba por confirmar su hipótesis.

Una mujer con un trastorno de la personalidad narcisista,

que ocupaba un importante puesto diplomático, reforzaba su esquema de egolatría rodeándose de personas admiradoras, para confirmar que ella era un "ser muy especial". Cuando asistía a una reunión llegaba como un pavo real. De entrada excluía a las personas que no reconocían su estatus y sólo se rodeaba de aquéllas que le rendían pleitesía. Después se dedicaba a alardear sobre sus logros para que los adeptos la halagaran. Su conclusión era desconcertante: "No es culpa mía, doctor, yo no estoy exagerando nada. Es la gente la que me considera especial. Ellos son los que me alaban y exaltan mis virtudes… Y si lo hacen, por algo será…".

Una mujer mayor con un esquema de debilidad, es decir, de personalidad dependiente, había pasado toda la vida pidiendo ayuda y dando la imagen de fragilidad, lo que hacia que la gente la socorriera y la tratara como una persona frágil; esto reforzaba inevitablemente la dependencia. Cuando pidió cita conmigo, me expresó así su motivo de consulta: "Quiero cambiar, ya estoy harta de que todo el mundo me vea como una mujer incapaz de manejar mi vida". Mi sugerencia se concentró en la profecía autorrealizada que ella utilizaba de manera inconsciente: "Usted es la que genera la reacción de lástima en la gente. Ya no alimente esa idea, ya no proyecte esa imagen de flaqueza e inseguridad para que el círculo vicioso se empiece a romper. Tome conciencia del mecanismo de autoperpetuación en el que está atrapada y el cambio no demorará en llegar".

Un joven adolescente con un esquema de incapacidad para

el estudio, a la hora de elegir la carrera universitaria se presentó a las universidades más difíciles, sin estudiar lo suficiente y a profesiones que no le interesaban demasiado. Obviamente su profecía se cumplió a la perfección: "Yo no soy bueno para estudiar". Cuando se le hizo ver que su comportamiento era "estadísticamente sospechoso" ya que había hecho todo lo posible para fracasar, el joven se sorprendió. Después de un tiempo recorrió el camino inverso: estudió mucho, se presentó a una universidad asequible y eligió la carrera que más le gustaba. Hoy es un exitoso economista, amante de su profesión.

Si tienes problemas interpersonales, es probable que estés utilizando algún tipo de profecía autorrealizada. Pregúntate de qué manera puedes estar alimentando la controversia con alguien o hasta dónde eres responsable de que las cosas no funcionen. Primero determina cuál es tu creencia de base, lo que piensas de él o ella, y luego revisa si le has dado una oportunidad limpia a la relación. En ocasiones le ponemos trampas a la gente que no queremos para alimentar la inquina: "Se lo merece", "Te dije que era una mala persona".

La rabia que se alimenta a sí misma es como una epidemia. El nicho afectivo-emocional que habitamos suele estar determinado en gran medida por nuestros propios comportamientos. La mejor manera de pelear contra la profecía autorrealizada es darles una oportunidad a los hechos sin nuestra interferencia. Que la vida decida.

Las estrategias evitativas y compensatorias

Las estrategias de evitación también ayudan a la autoperpetuación de los esquemas negativos, aunque de una manera más indirecta que las profecías[21,22]. La psicología humana se mueve en una contradicción esencial: mientras que de manera consciente queremos dejar de sufrir y eliminar las creencias irracionales responsables de nuestro malestar, de manera no consciente fortalecemos nuestros esquemas negativos *evitando* cualquier confrontación que los ponga a tambalear. Es como si viviéramos con un enorme y furioso perro al cual le tuviéramos miedo y aun así lo alimentáramos para que cada día estuviera más fuerte y grande.

Un caso típico es el de las personas que sufren de trastorno de pánico, es decir, miedo al miedo, a perder el control, a enloquecer o a padecer un infarto, quienes *teóricamente* desean eliminar el temor que los agobia y acabar de una vez por todas con el sufrimiento, pero *en la práctica*, cuando deben enfrentar realmente el miedo, prefieren evitar el encuentro porque la sensación es desagradable. Así, cada vez que escapan, la angustia crece y se fortalece.

Durante toda su vida, Yolanda mostró un gran temor a la soledad afectiva, lo que generó en ella una necesidad imperiosa de estar acompañada siempre por algún hombre. Por ejemplo, planeaba qué cosas hacer los fines de semana hasta con un mes de anticipación porque no soportaba la soledad de un viernes o un sábado por la noche. Reproduzco parte de una entrevista con ella:

Yolanda: Ya no aguanto más… Quisiera que no me importara estar sola… Tengo una amiga que dis-
fruta la soledad, no sé cómo hace, pero es feliz
estando en su casa… Me gustaría ser así… ¿Cree
que yo también pueda desprenderme de la obsesión de tener que buscar compañía todo el
tiempo?

Terapeuta: No podría asegurártelo, pero es posible. Un buen
comienzo sería estar sola a propósito, para ver si
es tan horrible como piensas.

Yolanda: ¡No tengo dudas! ¡*Es* horrible!… ¡Con sólo pen-
sarlo me angustio!

Terapeuta: Te entiendo, pero quizás no haya otra forma.
Podemos disminuir el impacto y hacer que no
te duela tanto el enfrentamiento, pero tarde o
temprano hay que exponerse a la soledad para
vencer el miedo que te produce.

Yolanda: Debería haber una especie de pastilla "antiso-
ledad", algo que la anestesie a una…

Terapeuta: Activar el esquema es incómodo…

Yolanda: Me da miedo, es como meterme en la boca del
lobo.

Terapeuta: Sin embargo, es un lobo que no muerde: gru-
ñe, aúlla, muestra los dientes, pero no ataca.
Maquiavelo decía que los fantasmas asustan más
de lejos que de cerca.

Yolanda: Usted tiene razón, toda mi vida he evitado enfrentar el problema, pero la sola idea me da miedo...

Terapeuta: De acuerdo, pero debes tomar conciencia de que tú misma alimentas y fortaleces el esquema cuando evitas enfrentarlo. Cada vez que escapas a la soledad, pierdes la oportunidad de cuestionar la irracionalidad de tu creencia. No digo que te vuelvas fanática del aislamiento, porque en tal caso serías un esquizoide. A lo que me refiero es a que le abras un espacio en tu vida a la soledad para que puedas hacer contacto con ella y experimentarla. Eso te permitirá atacar los pensamientos negativos que más utilizas y que tanto daño te hacen: "La soledad es insoportable", "Si uno esta solo es porque nadie lo quiere" o "Siempre me quedaré sola, para qué enamorarme si me van a dejar". Se trata de eliminarlos y reemplazarlos por otros más adaptativos.

Yolanda: Pero ese cambio supone estar sola...

Terapeuta: Así es, durante un tiempo va ser incómodo, no horrible o espantoso, sino molesto (horrible sería que te torturen clavándote astillas bajo las uñas o que te obliguen morir de sed o hambre). ¿Pero no crees que se justifica sufrir un poco ahora, para luego poder vivir más tranquilamente?

Yolanda: Pero es muy duro... ¡No quiero estar sola!...

| Terapeuta: | Insisto: cada vez que evitas el esquema, éste se fortalece, tu debilidad se hace más evidente y las creencias disfuncionales se perpetúan. ¿No es mejor arriesgarte? |
| Yolanda: | No sé, debo pensarlo, tengo que analizar lo que me dijo... |

La pregunta que surge es evidente: ¿qué debía "analizar" tanto mi paciente? ¿Acaso no era obvio? Yolanda no tenía otra opción que tomar el toro por las astas si no quería continuar inmersa en la patología y el dolor. Por desgracia, pese a los intentos terapéuticos, ella prefirió seguir estancada y perpetuar su esquema de abandono/soledad mediante la evitación crónica. No soportó el chuzón del cambio, no fue capaz de enfrentar la soledad cara a cara.

El cambio asusta e incomoda.

Un joven ejecutivo prefirió perder su trabajo a tener que enfrentar el miedo a hablar en público, la evitación se impuso sobre la razón. En otro caso, una mujer aceptó resignadamente estar subutilizada en un puesto mediocre durante gran parte de su vida por miedo a equivocarse; la evitación pudo más que la lógica del afrontamiento. Ambos antepusieron el *alivio del escape* a la posibilidad de *desaprender las viejas ideas* que tanto daño les habían causado, así fuera incómodo o doloroso. Hay un sufrimiento inútil, que implica el estancamiento irracional, y un sufrimiento útil, que nos hace a ver las cosas como son, para luego modificarlas.

La conclusión es clara: *la conducta de evitación fortalece los esquemas negativos porque impide su confrontación con la realidad. Es una forma indirecta de autoperpetuación, ya que se pierde la oportunidad de "desaprender lo malo".*

Estrategia compensatoria/protectora

Una forma especial de evitación son las *estrategias compensatorias*, es decir, comportamientos que sirven para reestablecer o equilibrar de alguna manera aquello que no nos gusta de nosotros mismos[23]. Quienes usan estas estrategias pretenden ocultar el problema haciendo alarde de todo lo contrario.

Por ejemplo:

- Si debido a un *esquema irracional de incapacidad* considero que soy poco inteligente, puedo "compensar" el déficit que creo tener *incrementando exageradamente la dedicación al estudio* y así evitar que se manifieste la supuesta incapacidad intelectual o que los demás se den cuenta. Muchos *nerds* son producto de este mecanismo.

- Si soy una persona con un *esquema patológico de dependencia*, y por lo tanto temo perder la fuente de seguridad de mis amigos y/o pareja, puedo optar por *mostrarme especialmente fuerte y seguro* para ser considerado un líder.

- Si tengo un *esquema irracional de defectuosidad/vergüenza* y me considero feo, puedo *rechazar a las personas atractivas y rodearme de personas muy feas* para disimular mi fealdad ("En el país de los ciegos, el tuerto es rey").

Dependiendo del aprendizaje que hayamos tenido y nuestra historia personal, cada quien genera su propio estilo compensatorio. Por ejemplo, ante un *esquema de incapacidad intelectual*, de acuerdo con la historia previa de aprendizaje, una persona podría haber desarrollado dos estrategias compensatorias opuestas, pero orientadas a un mismo fin: (a) la que ya vimos de *intensificar la autoexigencia* para "compensar" la supuesta inutilidad volviéndose muy estudiosa, o (b) *reducir las metas personales y las aspiraciones* al mínimo de exigencia para asegurar que el "éxito" siempre esté presente, así no sea auténtico y veraz. Dos extremos de un mismo continuo.

Veamos algunos casos típicos:

Esquema: "Soy inútil".

Estrategia compensatoria: Ser autoexigente y excesivamente responsable.

Esquema: "Soy poca cosa".

Estrategia compensatoria: Mostrarse brillante y prepotente.

Esquema: "Soy un fraude".

Estrategia compensatoria: Mostrarse antipático para evitar que se le acerquen y lo descubran.

Esquema: "Soy vulnerable a las enfermedades".

Estrategia compensatoria: Estar pendiente exageradamente de la salud y visitar muchos médicos o estudiar medicina.

Esquema: "No soy atractivo".

Estrategia compensatoria: Concentrarse en actividades intelectuales y criticar a las personas bellas físicamente por "superficiales".

Esquema: "Soy inseguro y tímido".
Estrategia compensatoria: Convertirse en autoritario y cascarrabias.

La premisa es como sigue: "Si utilizo las estrategias compensatorias, será menos probable que el esquema o la creencia negativa se haga realidad". Mediante esta forma de evitación, oculto el problema, creo una coraza que impide que mi incapacidad o aquello de lo que me avergüenzo (la "pesadilla personal") se manifieste, o al menos no se note. Cargamos con nuestras patologías y aprendemos a soportarlas siempre y cuando no se hagan evidentes.

La evitación en cualquiera de sus formas nos mantiene adormilados y nos impide despertar a la verdad; despertar es la clave. Qué prefieres, ¿ser un tonto feliz o una persona sagaz y despierta, con los pies en la tierra y soportando las angustias de la vida? ¿Tonto feliz o sabio infeliz? La primera película de la serie *Matrix* mostró claramente esta disyuntiva: vivir en un mundo irreal de apariencia y hedonismo virtual o aterrizar en la más cruda realidad, siendo lo que uno es de verdad. ¿Qué elegirías?

La evitación originada en el miedo (existe una evitación basada en la prudencia que sí es recomendable) patrocina la patología, ya que vuelve intocable los esquemas negativos. Les crea un hábitat cómodo para que prosperen y echen raíces. Impide la aplicación del antivirus, los cuida. Lo incomprensible, tal como dije antes, es que el esquema que tanto cuidamos y mantenemos es el que mismo que queremos eliminar. La mejor actitud para vencer la evitación crónica es "aceptar lo peor que pueda ocurrir" y alejarte un poco del principio del placer. Aceptar que el cambio te va a doler, que será incómodo. Ver la verdad de tu vida y establecer una lucha a muerte con aquellas teorías responsables de tu sufrimiento. Tocar fondo a veces es útil para muchas personas, ya que el pensamiento que surge en tales condiciones es liberador: "¡Me cansé de sufrir, acepto lo peor!" No puedes solucionar un problema que se mantiene oculto, y aunque esto parezca obvio, la mayoría de nosotros preferimos tapar el sol con el dedo. Es paradójico: alimentamos la fuente de nuestra desdicha y no hacemos más que quejarnos.

Tres casos de economía cognoscitiva

Caso 1

Recuerdo el caso de un paciente cuya obsesión giraba alrededor de la idea de que "Todos los franceses huelen mal". Para colmo, trabajaba en una multinacional repleta de franceses, lo que agudizaba sus síntomas. Luego de reordenar su experiencia a través de la autobservación descubrió que: (a) olía a sus compañeros de trabajo constantemente, a veces de manera invasiva, lo cual hacía resaltar los olores desagradables —si metemos las narices donde no debemos, es seguro que cualquier ser humano olerá mal— (**sesgo atencional**), (b) salía a trotar con algunos de ellos, los retaba a correr duro y luego los olía (**profecía autorrealizada**), (c) cualquier olor extraño en el ambiente se lo atribuía a la falta de aseo de sus compañeros (**sesgo perceptivo**) y (d) en ocasiones, cuando comía, se acordaba de "los malos olores" lo que hacía que la comida le produjera asco (**sesgo de memoria**). Cuando al fin comprendió que era él, con su modo de procesar la información, el responsable directo de su desdicha olfatoria, pudo aprender a manejarlo de una manera más racional e inteligente.

Caso 2

Una señora con dos hijos pequeños había creado un doble esquema negativo frente a su desempeño como madre: "Soy mala mamá" y "Mis hijos fracasarán en la vida por culpa mía". La observación y la reorganización de la experiencia arrojó que: (a) se sentía responsable directa de cualquier cosa que le pasara a sus hijos, desde un resfriado hasta una caída (**atribuciones causales o sesgo perceptual**), (b) la sobreprotección hacía que los niños fueran cada vez más inseguros, lo cual redundaba en una fuerte autocrítica (**profecía autorrealizada**), (c) cuando se acostaba por la noche rumiaba sus pensamientos negativos y recordaba todos los errores que había cometido como mamá en el día (**sesgo de memoria**) y (d) evitaba cualquier situación nueva por miedo a que su "ineficiencia maternal" se hiciera manifiesta (**estrategia evitativa**). Con este montaje, el *esquema de ineficiencia como mamá* no sólo se reforzaba día a día sino que era imposible de abordar. Al darse cuenta de cómo funcionaba, gracias a la autobservación, quedó profundamente sorprendida:"¡Soy una especie de idiota masoquista! ¡Yo misma me encargo de reforzar la creencia que me hace sufrir!" Aunque la eliminación del esquema negativo requirió de más citas, el *insight* de la autobservación fue definitivo.

Caso 3

Un señor mayor, bastante conservador y con una marcada homofobia, supo que uno de sus mejores amigos era homosexual. A partir de ese momento, toda su mente comenzó a trabajar al servicio de un *esquema homofóbico*. El hombre comenzó a interpretar cualquier aproximación de su amigo como mal intencionada. Veía conductas afeminadas donde no las había (**sesgos perceptivos**), se volvió extremadamente rudo para demostrar que él sí era "un hombre de verdad" (**estrategias compensatorias/defensivas**) y desarrolló una pesquisa histórica tratando de recordar "conductas sospechosas de homosexualidad" de su compañero de andanzas (**sesgos de memoria**). Sólo pudo retomar su amistad en paz cuando dejó de alimentar la creencia discriminatoria frente a la homosexualidad en general y a su amigo en particular.

¿Para qué la mente?

Antes de analizar las posibles alternativas para "pensar bien" y contrarrestar la tendencia de la mente a autoperpetuarse, es importante interrogarse sobre el "por qué" y el "para qué" de la mente. Aunque no hay respuestas definitivas al respecto, con fines ilustrativos me referiré a dos posiciones opuestas: la evolutiva/científica y la trascendente/espiritual.

1. La mente como resultado de la evolución

El núcleo de la mente es el *yo*, el sentido de identidad que exige protección y mimos. No sólo se trata del principio de supervivencia (el *yo* que se niega a desaparecer) sino del principio del placer (el *yo* que necesita ser contemplado). Aunque no hay pruebas fehacientes, es posible que hace unos 100.000 años la mente de nuestros antecesores (*homo sapiens* y *homo sapiens neanderthalensis*) fuera menos pervertida, más libre y saludable que la nuestra actual. Quizás, a medida que nos fuimos alejando de la naturaleza y entrando de lleno a la cultura civilizada-tecnológica, la lucha "honesta" por subsistir (alimentación, procreación, territorialidad) fue cediendo paso a otro tipo de disputa, más orientada a satisfacer necesidades de tipo psicológico de dudoso valor adaptativo. En algún momento, pasamos de la autoconciencia a la autoexaltación; del saber al ego.

Hay acuerdo entre los psicólogos y antropólogos en que la mente moderna evolucionó por la necesidad de resolver los problemas que tuvieron que enfrentar nuestros antepasados recolectores y cazadores. [24] Somos la especie con menos recursos físicos para la supervivencia y fue gracias al desarrollo de la inteligencia humana que pudimos sobrevivir.[25,26]

Recientemente en un programa de *Animal Planet* pude

presenciar el nacimiento de un elefante en cautiverio. Lo que más me llamó la atención, además de lo sobrecogedor del nacimiento en sí, fue que a los pocos minutos el "pequeño" animal de ciento cincuenta kilos ya estaba de pie y listo para desplazarse sin ayuda. En la mayoría de los centros urbanos, el nacimiento de un bebé humano tiene lugar en un hospital, con equipos ultramodernos y rodeados de profesionales especializados. La comparación es obligada: ¿Cuánto tiempo hay que esperar para que un hijo se independice y "ande solo" por la vida? En la clase media y media alta latinoamericana, unos veinticinco años, en la cultura anglosajona, dieciséis. Sin embargo, los que somos padres sabemos que la sobreprotección no se acaba nunca.

Para Zubirí[27], la inteligencia humana (mente) cumple una función elemental y primaria estrictamente biológica: *hacer viable a un ser, que de otro modo estaría llamado a la extinción.* Somos producto de un esfuerzo sostenido de la naturaleza para que podamos vivir. La posibilidad de pensar no se me hace tanto un don que hay que agradecer (en el sentido de gracia o dádiva), como un privilegio que hay que aprovechar. El problema no es el pensamiento en sí, sino cómo lo usamos. Podemos hacer que toda la historia que nos precede se justifique en la persona que somos, pensando bien y afinando la mente.

Cinco preguntas: ¿Cuánto tiempo real malgastas en conservar una "buena imagen" para que los demás te admiren? ¿Cuánta energía inviertes diariamente en tratar de ser *el o la* "mejor" para ubicarte por encima de la gente que te rodea? ¿Te comparas mucho? ¿Cuánto tiempo te quita la envidia, la ambición, la codicia? ¿Millones de años de evolución, para esto?

La mente es difícil de satisfacer porque exige demasiado, porque vive atrapada en un mundo virtual alimentando de manera obsesiva la ilusión de que ella es eterna e indestructible. ¿Qué hacer entonces? Liberarse y liberar a la mente. Obligarla a que se observe a sí misma en toda su crudeza: que vea lo absurdo, lo inútil y/o lo peligroso de su manera de proceder. Autobservación constante y sistemática.

2. La mente como manifestación de lo trascendente

Gran parte de la tradición espiritual antigua sostiene que la mente no sólo nos ha servido para sobrevivir, sino que además cumple un papel trascendente en tanto nos pone en un plano espiritual.

Alan Watts lo explica así: [28]

"El individuo es una apertura a través de la cual toda la energía del universo toma conciencia de sí misma" (pág. 175).

Y luego agrega:

"En la contemplación, el hombre se descubre como entidad inseparable del cosmos total, tanto en lo concerniente a sus aspectos positivos como en sus facetas negativas" (pág. 190).

Según este autor, vinimos al planeta, o mejor, salimos de él, para cultivar la capacidad de ver y asombrarnos, gracias a la autoconciencia. Somos testigos de la vida. Los recolectores primitivos quizás tuvieron esa opción y posiblemente alcanzaron a ejecutarla de manera precaria.

En otro de sus textos[29], Watts afirma:

"Somos los ojos del cosmos. Es decir que en cierto modo, cuando miramos profundamente a alguien a los ojos, estamos mirando en lo hondo de nosotros mismos" (pag 108).

Y posteriormente inventa un verbo: "yoificar". El universo "yoea" es decir, genera "yoes", seres humanos, manifestaciones de energía integrada con la capacidad de pensarse a sí mismos, a través de los cuales el cosmos toma conciencia de su propia existencia. El universo es joven y está creciendo, y en ese avance se une a nosotros porque nos necesita para pensarse a sí mismo.

Esta afirmación está de acuerdo con aquellas tradiciones filosófico-espirituales que afirman que formamos parte de una mente o inteligencia universal: *Tao,* para Lao-Tse y Chuang-Tzu[30]; *Logos,* para Heráclito[31]; *el Todo,* para la sabiduría Hermética[32]; *Brahma,* para la tradición hinduista[33]. Según la sabiduría perenne, *Todo* está vivo, todo es *Mente.* Somos la expresión espontánea de la *Vida.* Cada uno de nosotros forma parte del mismo principio *Único* que se refleja en la autoconciencia. Somos laboratorios de autoobservación, mónadas, seres individuales dotados de mente. ¿Chispas de divinidad? Algunos creen que sí, por mi parte prefiero adoptar una postura más agnóstica.

Hace algunos años, le pregunté a un *swami:* "¿Podría usted explicarme por qué apareció la mente en la evolución?" M.

pregunta tenía veneno. En realidad, mi joven arrogancia quería poner a prueba el conocimiento científico del hombre. El monje no se inmutó, pensó un rato, acomodó su túnica y me respondió con una sonrisa: "Para ayudar a otros, para ayudar a otros". Ese día comprendí que debía releer a Darwin, y todavía lo hago.

La cuestión queda abierta: Si la mente en verdad fue un medio para que el hombre pudiera hacer contacto con una esencia básica y universal de la cual está compuesto, ¿cuándo y por qué desviamos el rumbo? Si la misión, tal como creían algunos místicos, era ser observadores y coautores de la creación, ¿dónde nos perdimos? Probablemente, cuando la mente quiso ser un fin en sí misma, quizás cuando inventó el ego.

No importa qué creas o qué religión profeses, la herramienta principal para desarrollar tu potencial humano es la mente. Los meditadores budistas saben bien de lo que hablo. A veces les pregunto a mis pacientes: ¿Para qué está usted viva o vivo? Tantos siglos de evolución, ¿para qué? ¿Para vender salchichas, zapatos o automóviles, trabajar doce horas diarias y después dormir?

¿Para qué estás vivo o viva? Es una pregunta sobre tu sentido de la vida. Y sólo podrás responderla cuando desarrolles tus talentos naturales, esas cualidades que te son propias e irreproducibles. Pero también parece haber un sentido compartido, un talento humano universal: *Somos capaces de pensar sobre lo que pensamos* (metacognición), y allí la mente adquiere un significado especial.

Ver lo que *es*

La mente debe liberarse de sus ataduras. Una mente sin autoengaño es más lúcida y penetrante y permite ver las "cosas
como son"[34,35] —¿de qué otra manera podríamos resolver
nuestros problemas si no es estando en contacto con la verdad
de los hechos?—. "Ven y mira", decía Buda. Nunca dijo: "ven
y supón", "ven e inventa" o "ven e interpreta"[36]; sólo: "ven y
mira", no más. La realidad se impone. La moderna terapia
cognitiva parte de un supuesto similar.

Por ejemplo: si alguien tiene problemas de autoimagen y
cree que es desagradable físicamente, la "distorsión" estaría
determinada porque el físico real de la persona no concuerda
con su autopercepción. Hay una alteración de la realidad. Pero,
¿y si el sujeto tuviera razón y en verdad fuera "muy feo"?
Entonces no habría distorsión, ni nada que corregir. Más bien
la persona debería aceptarse como es y/o revisar su escala de
valores en lo que respecta a la apariencia física. Tanto si hay
sesgos cognitivos, como si no los hay, el criterio último (o el
punto de partida) es la realidad. Partir de lo que es, quedarse
en lo que es, y resolverlo o aceptarlo.

La salud mental implica balancear ambos aspectos: mis ideas
(el mundo sujetivo) y los hechos (el mundo objetivo). Empezamos a funcionar mal cuando la mente empieza a desligar
sus creencias y opiniones del mundo real y palpable. Este
desbalance enferma. El principio, tal como he dicho antes,
opera así: *La realidad tiene una propiedad correctora sobre nuestras*

distorsiones y sesgos, siempre y cuando la dejemos obrar libremente, con toda su fuerza y contundencia[37].

La realidad es curativa *per se*, si somos capaces de dejar que la experiencia penetre hasta la base de datos sin excusas: eso atestiguan las técnicas de *exposición*[38] (en los que se lleva al paciente a que se enfrente directamente con los hechos), la *autobservación*[39,40] (el sujeto se mira a sí mismo de manera equilibrada y objetiva) y la *meditación*[41,42].

Si la mente se autoengaña, es muy difícil que tu potencial humano se manifieste. Por eso, si logras desmontar los mecanismos de protección psicológicos en los cuales te has escudado, podrás verte a ti mismo como realmente eres.

Los que ya han transitado el sendero de la sabiduría pueden darnos algunas indicaciones valiosas para iniciar nuestro propio camino, pero sólo son sugerencias. El camino del *recto entendimiento*, tal como sostenía Buda, sólo se logra "si enciendes tu propia lámpara". En sus palabras: "Los grandes señalan la ruta pero uno debe seguirla por sí mismo".[43]

En cierta ocasión asistí a un *Phowa*, una práctica de meditación de preparación para el buen morir. Durante cuatro días un grupo de personas y yo estuvimos bajo la orientación del lama Ole Nydahl, con el fin de aproximarnos a una comprensión profunda del significado de la muerte. Sin embargo, pese a la buena actitud del lama y sus ayudantes, yo mostraba cierta prevención. Me parecían demasiadas meditaciones y budas para imaginar. Pero todo cambió a la hora de tomar Refugio, que es el proceso de volvernos hacia dentro de nosotros mismos, y empieza con el descubrimiento de nuestro propio potencial ilimitado. Tomar Refugio es el primer paso en el camino budista hacia la liberación interior. También es una "protección" y un "bautizo" según nuestra verdadera esencia.

Uno a uno fueron pasando los asistentes, yo incluido. Cuando llegó mi turno, me aproximé a regañadientes y con una alta dosis de escepticismo. El maestro unió su frente a la mía y puso su mano en mi pecho para sentir los latidos de mi corazón. Así permaneció por unos segundos, luego me miró a los ojos y me "bautizó" con un nombre que se suponía representaba mi esencia: "León todo bondadoso". Cuando mis compañeros supieron de mi nombre dhármico soltaron un aplauso espontáneo acompañado de carcajadas, ya que según ellos el nombre me describía a la perfección. Los días que siguieron a ese evento fueron muy especiales para mí. Reflexioné mucho sobre el supuesto "León todo bondadoso" que habitaba en mí: lo fuerte y blando, cómo mi manera de ser fluctuaba entre una faceta y otra o incluso cómo entraban en contradicción. Además, por primera vez en mi vida sentí que no tenía nada que ocultar a nadie, porque mi mundo interior era de dominio público. El lama Ole me abrió una puerta, me mostró dos características de mi ser que habían pasado totalmente desapercibidas por mi sesuda mente.

De manera similar a como el lama pudo captar mi esencia sin distorsiones de ninguna índole, cada uno puede descubrirse a sí mismo si la mente se flexibiliza y decide mirarse a sí misma *tal cual es*, así duela.

Parte II

MALOS PENSAMIENTOS

Los pensamientos son las conclusiones a las que llegas después de analizar y procesar los datos. Si estas deducciones son inexactas, distorsionadas o equivocadas, es probable que tu salud mental se afecte negativamente. Aunque no es el único factor que influye en el malestar psicológico, no cabe duda que el pensamiento negativo y/o irracional dispara un sinnúmero de emociones perturbadoras y destructivas[44,45]. En el *Anexo II: Aplicaciones prácticas de la Parte II*, podrás hallar una serie de procedimientos para vencer los malos pensamientos.

La clave está en disminuir los pensamientos negativos o cambiarlos por otros más constructivos.[46,47] Repetirse a uno mismo seiscientas veces al día "Debo ser feliz" no aporta demasiado a la felicidad personal (en mi opinión el "poder del pensamiento positivo" debe tomarse con ciertas reservas). Las personas que quieren olvidarse de un amor imposible o doloroso saben que "pensar positivamente" no ayuda demasiado.

Analicemos algunos de los pensamientos negativos.

Pesimismo crónico

A las personas pesimistas las envuelve un halo de amargura[48]. Su vida oscila entre la desilusión y la tristeza. El optimismo es para ellos una peligrosa enfermedad que hay que erradicar de raíz, porque el mundo fue y será definitivamente una porquería (parafraseando el famoso tango de Disépolo, *Cambalache*). El paquete desesperanzador está constituido por una serie de sesgos y actitudes cercanas a la depresión: descalificar lo positivo, magnificar lo negativo y estar preparado siempre "para lo peor". Como resulta obvio, la aplicación de este estilo hace que la vida pierda su encanto. Si el mundo es un campo de batalla y el futuro es negro, el presente puede llegar a ser insoportable. El fatalismo mata la risa y la esperanza razonable. No digo que haya que adoptar la sonrisa bobalicona de los que viven en el *Mundo feliz* de Huxley y niegan los peligros y los inconvenientes del diario vivir (la esperanza llevada al extremo puede ser un mecanismo de escape); lo que sostengo es que el pesimista acaba por convertirse en un "ave de mal agüero", alguien a quien es mejor no frecuentar demasiado.

Los pensamientos típicos del pesimista son: "Me va a ir mal", "Podría haber sido mejor", "No hay solución", "Es terrible lo que ocurrió", "Nada va a mejorar". O dicho de otra forma: nada está bien y la alegría no es otra cosa que una farsa. La sensación que lo embarga es la de una eterna incompletud: siempre falta algo, siempre hay un detalle que daña el conjunto.

Alberto era un empresario de cincuenta y siete años que sufría de ansiedad generalizada. Dependiendo de las circunstancias, su estado oscilaba entre el estrés crónico y la depresión. Desde pequeño había sido educado con el valor de la competencia: "Debes ser el mejor" y "Debes ganar siempre", lo que se había convertido en un estilo de vida. La vida laboral de Alberto era una especie de campo de batalla donde su meta principal era sobrevivir a cualquier precio.

Si hacemos una composición de lugar y nos imaginamos por un instante que estamos perdidos en la selva de Vietnam, rodeados por el enemigo, es evidente que la hipervigilancia y "estar listo para lo peor" sería una buena estrategia de supervivencia. Si un compañero de combate altamente optimista y confiado nos dijera: "Ignoremos ese ruido que llega de los árboles... No podemos ser tan negativos, de pronto sólo se trata de un animal y no de un francotirador...", lo evitaríamos más que al enemigo mismo. El optimismo ilusorio puede ser tan nefasto como el pesimismo crónico.[49]

La máxima de Alberto hubiera sido ideal para tiempos de guerra: "No puedo descuidarme, si lo hago, me pasan por encima". El ambiente de su empresa lo había absorbido tanto que ya no discriminaba entre el peligro real y el imaginario.

Como parte del tratamiento, se le pidió que llevara un registro de sus pensamientos pesimistas para ver cuándo ocurrían y qué efecto tenían sobre su estado de ánimo. El resultado sorprendió a Alberto. Al cabo de cinco días de autoobservación había llenado un cuaderno de cincuenta hojas. Su promedio era de ciento cincuenta pensamientos pesimistas por día. ¡Ciento cincuenta veces al día su mente se autocastigaba! Algunos de estos pensamientos eran: "Cometo demasiados errores", "Estoy rodeado de ineptos", "Me voy a quebrar", "Mi oficina es horrible", "Me va a dar un infarto", "El negocio no se va a realizar", "Las ventas están estancadas", "Estoy muy viejo", "La vida es una mierda", "La vida no tiene sentido", "Trabajar es horrible", "El cansancio me va a matar". Una maraña de negatividad insoportable y agotadora.

Después de unas cuantas semanas, Alberto logró disminuir de manera significativa sus autoverbalizaciones negativas mediante técnicas de autocontrol y notó inmediatamente la mejoría. Esto permitió ahondar mejor y más fácilmente en los esquemas responsables de su enfermedad.

Una variación del pesimismo es la *anticipación catastrófica*, que consiste en adelantarse negativamente al futuro y esperar siempre lo peor. El calculador de probabilidades se daña y la persona comienza a pronosticar tragedias y desastres de todo tipo. Aunque el pesimismo se asocia más a la depresión y la anticipación catastrófica a la ansiedad, ambos muestran el mismo estilo subyacente: Concentrarse más en lo malo, que en lo bueno. Pesimismo y estrés suelen ir de la mano.[50]

Recuerda que la profecía autorrealizada siempre está vigente. Si eres pesimista, las cosas no te saldrán bien porque tú mismo te encargarás de que sea así ¿Cuántas veces el pesimismo te ha impedido disfrutar con tranquilidad de un evento agradable? ¿Cuántas veces tus anticipaciones te han precipitado a una angustia innecesaria y sin fundamento? ¿Cuántas veces te has preparado para una guerra totalmente irracional e imaginaria? La próxima vez que encares alguna actividad placentera no lleves el salvavidas puesto ni el plan B activado. Los pesimistas no se ríen porque piensan que la alegría anticipada puede ser una forma de llamar a la desgracia.

Pensamiento dicotómico o de extremos

Si bien debemos reconocer que no siempre los extremos son malos y que incluso en ocasiones son útiles e imprescindibles, la tendencia a utilizar un pensamiento del "todo o nada" genera muchos problemas. Ver el mundo en blanco y negro nos aleja de la moderación y de la paz interior porque la vida, por donde se mire, está compuesta de matices[51]. Querer imponer al universo nuestra primitiva mentalidad binaria no deja de ser un acto de arrogancia y estupidez. He conocido infinidad de gente que vive amargada porque los hechos (vida, realidad, naturaleza) no concuerdan con su punto de vista.

El pensamiento absolutista y categórico te obliga a transitar por una carretera estrecha e incómoda plagada de "deberías". El pensamiento dicotómico promueve un estilo cognitivo orientado a la crítica destructiva y al perfeccionismo salvaje. Si sólo existe lo "bueno" o lo "malo", entonces no tengo otra opción: *soy* bueno o *soy* malo. La consecuencia de tal planteamiento es que la compasión o el perdón dejarían de existir, ya que no habría justificaciones, atenuantes, disculpas o segundas oportunidades. La crueldad casi siempre va de la mano de la inflexibilidad. Si eliminas los grises en la manera de procesar la información, serás santo o pecador, puntual o impuntual, amigo o enemigo, bello o feo.

No estoy negando la posibilidad de que algunos valores tengan que ser considerados con la ley del todo o nada, lo que sostengo es que el uso indiscriminado del pensamiento dicotómico enferma y consume.[52] Las palabras "nunca", "siempre", "todo" o "nada" son peligrosas porque no dejan opciones. Si la mente se acostumbra a fluctuar de un extremo al otro, la ansiedad y la depresión serán inevitables.[53]

Por ejemplo, si mi vida se manejara con las siguientes premisas: "**Las personas inteligentes y virtuosas no comenten** *ningún* error" y "**Si no triunfo de manera** *absoluta*, **seré un** fracasado", mi autoestima se mantendría en la cuerda floja, ya que no podría cometer un error *jamás* y bajo *ninguna* circunstancia so pena de convertirme en torpe o fracasado. Una forma de combatir semejante actitud sería cambiar mi valoración extremista por una más flexible y racional, es decir, utilizar pensamientos menos dictatoriales como: "Soy **más que mis** errores", "Los errores no ponen en juego mi valía personal" o "Errar es humano".

Liliana era una mujer viuda, madre de tres hijos varones. Como suele ocurrir en estos casos, la viudez había generado en ella un sentido exacerbado de la responsabilidad frente a la crianza. La necesidad imperiosa de que sus hijos fueran capaces de enfrentar el mundo y bastarse a sí mismos la había llevado a establecer unos criterios educativos extremadamente estrictos y autoritarios.

En una ocasión me expresó así su sentir: "Mis hijos deben ser los mejores… Eso es lo que espero de ellos… El mundo es difícil y ellos deben ser capaces de ganar…Yo no soy de medias tintas, puede que sea estricta, pero creo que es la única manera de que ellos aprendan a sobrevivir". Ésta era la concepción con la que había educado a sus hijos, quienes evidentemente le temían. Cuando el menor de ellos, un muchacho preadolescente, tímido e inseguro, comenzó a fallar en el colegio, Liliana hizo gala del típico pensamiento dicotómico: "Si no te va bien en el estudio *nunca* serás alguien" o "Una persona inteligente *siempre* saca buenas notas". Al poco tiempo, ante las constantes "desilusiones" y regaños de su madre, el joven comenzó a experimentar un cuadro de ansiedad, lo que terminó por agravar aun más el problema académico. Liliana había decidido aplicar un método conductual combinado llamado *costo de respuesta y reforzamiento positivo:* si su hijo no mostraba un buen rendimiento escolar le retiraba el afecto maternal y otros privilegios materiales, y si funcionaba bien en el colegio, se los dejaba.

Reproduzco parte de una entrevista que tuve con la señora:

Liliana: No estoy contenta con su tratamiento. Yo traje a mi hijo para que se sintiera más seguro y mejorara su rendimiento académico, pero no veo resultados…

Terapeuta: Es muy difícil obtener buenos resultados académicos bajo el estrés en que se encuentra.

Liliana: No entiendo lo del estrés… Ha tenido todo lo que ha querido, no he hecho más que darle gusto…

Terapeuta: Mi evaluación arroja un alto nivel de ansiedad. Debe tener en cuenta que el miedo al fracaso afecta negativamente las capacidades intelectuales…

Liliana: ¿Y entonces?

Terapeuta: Hay que bajar la presión.

Liliana: ¿Usted piensa que soy la responsable del estrés que él siente?

Terapeuta: Sólo en parte. Porque él también está convencido de que su vida futura depende del rendimiento académico.

Liliana: ¿Y no es así?

Terapeuta: Yo diría que la nota académica es un indicador de quien cumple mejor las exigencias del colegio, pero ese requisito no mide la inteligencia, ni siquiera creo que mida lo que en verdad sabe un estudiante. Hay muchísimos casos de niños genios que muestran fracaso escolar simplemente porque no están motivados o porque el tema les resulta demasiado fácil o aburrido.

Liliana: ¿Entonces debería despreocuparme de su mal desempeño escolar?

Terapeuta: Obviamente no, porque la "mala nota" estaría mostrando que hay un desajuste en el proceso enseñanza/aprendizaje. Pero aun así, la valía personal del muchacho no debería estar en juego. Si su autoestima depende del rendimiento que obtenga en el colegio, estudiar se convertirá en una tortura y su rendimiento irá en descenso. Para mí es evidente que la gente no vale por la posición que adquiere en la sociedad. De ser así, los ricos, los famosos y los políticos serían "mejores" que la gente común y corriente. Usted es una persona que ha luchado mucho para educar a sus hijos... Usted viene de "abajo" y no por eso es "menos" que nadie...

Liliana: La tenacidad ha sido mi herramienta de trabajo.

Terapeuta: ¿Qué pasaría si mezclamos esa tenacidad con un poco de flexibilidad? La mayoría de los profesionales brillantes que conozco no fueron estudiantes sobresalientes. Hay infinidad de personas que prefieren trabajar a estudiar e incluso algunos eligen profesiones muy poco lucrativas y han podido sobrevivir sin problema.

Liliana: Sí, puede ser que usted tenga razón...

Terapeuta: ¿No sería suficiente que su hijo simplemente aprobara las materias? Ni genial ni excepcional, sólo "suficiente"

Liliana: Sería cambiar todo lo que le enseñé...

Terapeuta: Le aseguró que a sus hijos les agradará el cambio.

Liliana: No sé qué decirle. Yo siempre he pensado que uno nunca debe dar el brazo a torcer...

Terapeuta: La palabra "nunca" puede ser peligrosa porque nos impide ver las excepciones. Le propongo que en algunas citas revisemos el pensamiento "todo o nada" que usted ha venido utilizando durante su vida y las creencias que lo sustentan. Podemos llegar a flexibilizar la mente, sin negociar con lo esencial. Le pongo un ejemplo: ¿matar *siempre* es malo, reprochable o moralmente inaceptable?

Liliana: Sí, así me educaron.

Terapeuta: Supongamos que un asesino estuviera a punto de matar a uno de sus seres queridos y usted tuviera un arma disponible, ¿la usaría?

Liliana: (Silencio)

Terapeuta: En principio, matar no es aceptable ni recomendable, sin embargo, podría presentarse, al menos en teoría, una situación en la cual matar se convirtiera en un "mal necesario", como es el caso de la defensa propia o ajena. Usted podría argumentar que aun en esa circunstancia el acto de matar seguiría siendo éticamente sancionable. Sin embargo, en el caso específico de la defensa propia, ¿no habría un atenuante, una justificación, una evaluación más clemente? ¿Juzgaría usted igual a un padre que mata para proteger a su hija de un violador, que al que mata por placer?

Liliana: No, no lo haría…

Terapeuta: La invito a que veamos el mundo desde los matices, teniendo en cuenta las excepciones a la regla ¿Qué me dice?

Liliana: Lo voy a intentar.

La excepción a la regla

Nunca enseñamos el valor completo, es decir, con sus limitaciones naturales. Da temor explicarle a un niño que a veces la mentira es necesaria o que en ocasiones la agresión es justificada. Además, ¿cómo hacerlo si se supone que la verdad, el pacifismo y la dulzura son virtudes socialmente aclamadas, que forman parte de la mayoría de los códigos éticos conocidos? Aun así, la universalidad del valor no garantiza su verdad. Una cosa es el acuerdo mayoritario entre los seres humanos y otra muy distinta la verdad de la creencia como cierta e irrebatible.

Supongamos que un sicario me pregunta por mi mejor amigo porque quiere saldar una cuenta con él y yo sé dónde se esconde, ¿debo decir la verdad? Qué sería primero: ¿mantenerme fiel al precepto "no mentirás" o salvar a la persona que aprecio?

Nadie duda de que tratar de mostrar estos dilemas éticos a niños de corta edad que apenas están incorporando el esquema moral pueda resultar difícil de asimilar; quizás ésta sea la razón por la cual postergamos tanto la enseñanza de las excepciones a la norma en el proceso normal de aprendizaje. Nos aterroriza pensar que la excepción pueda llegar a convertirse en regla. De todas maneras, no se puede ocultar la verdad. Veamos algunos ejemplos.

La **autonomía** se fomenta en los colegios como una de las virtudes principales para acceder a la libertad psicoafectiva (a los psicólogos nos encanta hablar de autonomía). Eso está bien, pero me pregunto: ¿no es saludable y adaptativo, "depender" a veces de alguien? ¿Enseñamos a discriminar cuándo sí y cuándo no depender? Y no me refiero al apego: ¡el esquizoide es un dechado de autonomía!

La **perseverancia** se considera una cualidad de los grandes triunfadores y la recomendamos a los cuatro vientos. Me pregunto, ¿y qué hay de la importancia de aprender a perder o deponer las armas a tiempo? ¿Dónde queda el atributo que define al buen perdedor?

La **humildad**: don de santos, místicos y seres bondadosos. Me pregunto: ¿no habría también que alertar a los niños contra la falsa modestia y el culto a la sumisión y promover la asertividad?

La **confianza** implica creer en los demás y entregarse sin miramientos. Sin embargo, ¿no será que cierta dosis de desconfianza es saludable y necesaria? ¿No será que por eludir la suspicacia proclamamos un culto irracional a la credulidad? Mejor una pizca de malicia, mejor un poco de recelo bien administrado.

Se me dirá, tal como enunciaba Aristóteles,[54] que el valor es un punto medio entre el exceso y el defecto, y así es, pero el justo medio nunca es estático, no está predeterminado: necesitamos la reflexión, lo condicional, la ética más que la moral. El camino del medio requiere también de los afectos, del caso único, de las diferencias individuales. Lo que define la virtud no es la perfección del rasgo, sino el equilibrio dinámico y sutil entre los extremos del continuo. Por ejemplo: la actitud inteligente y virtuosa frente al peligro no es anular el miedo, sino saber cuándo se justifica escapar y cuándo no.

Los valores sin sus respectivas excepciones terminan por convertirse en cargas morales insoportables, lugares oscuros donde la conciencia se esconde de sí misma. Una profesora de bachillerato me dijo en cierta ocasión: "Yo sé que si evito mencionar las excepciones a las reglas y los dilemas morales en mis clases estoy educando personas rígidas y extremistas, pero prefiero no correr el riesgo de que los jóvenes vean en la excepción una justificación a sus conductas transgresoras". La pedagogía del pusilánime: para que los jóvenes no piensen mal, mejor les quitamos toda posibilidad de pensar por ellos mismos, mejor los encerramos en el pensamiento dicotómico.

Pero hay otra opción, siempre la hay, afortunadamente: flexibilizar la norma a medida que el niño crece. Contar las cosas poco a poco, a su debido tiempo, pero contarlas. Aumentar la complejidad de la información a medida que el cerebro va desarrollándose y no considerar a los jóvenes como psicópatas en potencia. En otras palabras, ir en busca de la cordura, lejos del dogma.

"No digas nunca jamás": ¿cuántas veces, pese a la testarudez, te has visto obligado a revisar tus premisas porque los hechos te enrostraron una verdad distinta? Recuerdo el caso de una señora que participaba activamente en una organización religiosa contra el aborto. La consigna era tajante y categórica: "La vida es sagrada, siempre y en cualquier circunstancia, sin excepciones". En una ocasión tuve la oportunidad de escuchar una de sus conferencias sobre le tema y quedé realmente impresionado por la solidez de sus convicciones, aunque no compartía sus ideas. Todo se trastocó cuando su hija menor, una niña de quince años, fue violada por un hombre mayor que padecía de problemas mentales y quedó embarazada. No hay que tener mucha imaginación para comprender el terrible conflicto al cual se vio enfrentada. La lucha interna fue terrible, pero finalmente, en contra de todas sus creencias, decidió apoyar el aborto de su hija.

Repito lo que ya dije antes: no niego que existan principios vitales y que ciertos valores no admiten puntos medios, tampoco desconozco que podríamos sacrificarnos incondicionalmente o dar la vida por ellos (pensemos en Nelson Mandela o Jesús). Pero también es cierto que cuando los dilemas nos confrontan de verdad, los extremos se sueltan y los paradigmas comienzan a tambalear.

Cuando tu manera de pensar se encuentre en un extremo irracional, afloja el cinturón. Busca cuidadosamente las excepciones, flexibiliza el concepto, vuélvelo relativo. Las palabras "nada", "todo", "nunca", "siempre", "indudablemente", "definitivamente", cuando se aplican de manera indiscriminada, alientan el pensamiento dicotómico. Si no ves los matices y niegas los puntos medios, sufrirás mucho. La vida no aceptará tu manera de procesar la información porque su esencia es pluralista. La sabiduría es la expresión de esa cualidad diferenciadora que reconoce la singularidad por encima de cualquier dogma. Si tu "yo" es totalitario, tu pensamiento será dictatorial.

Personalización

Es la mala costumbre de atribuirse la responsabilidad ante determinados eventos externos, sin tener en cuenta otras explicaciones posibles. Es ponerse en el ojo del huracán cuando a veces ni siquiera hay huracán. Es la temible culpa.

Los humanos podemos adoptar dos posiciones frente al control que creemos tener sobre los hechos[55]:

A. Punto de control interno: "Todo depende de mí", "Soy el responsable de mi propio destino" o "Soy el principal responsable de lo que me ocurre". Esta posición, si se ejecuta de forma moderada y racional, es saludable porque hace que las personas se hagan cargo de sí mismas y decidan luchar por lo que quieren. Si se hace extrema y absolutista, empezarán a atribuirse la responsabilidad directa de eventos en los que nada tienen que ver (culpa). Sentir que uno está guiando su propia vida genera seguridad e incrementa la autoestima, pero empecinarse en ello más allá de lo razonable no deja de ser un acto de arrogancia e irracionalidad. Precisamente, la personalización es una distorsión mental que consiste en adoptar una posición centralista: "Todo depende de mí" o "Todo se dirige a mí". Si el punto de control interno es total e irrevocable, el estrés y la ansiedad harán su aparición. Es importante sentir que uno controla su vida, pero también lo es aceptar que hay cosas que escapan al control personal pese a nuestros esfuerzos.

B. Punto de control externo: "Estoy a merced de los impon-
derables" o "Mi conducta está determinada por eventos
externos ante los cuales no puedo hacer nada". Llámese
Dios, destino, suerte o astrología, la idea es que no soy
responsable de lo que me ocurre y por lo tanto no tiene
sentido que intente cambiar las cosas. En otras palabras:
pongo las causas de mi vida fuera de mí. Esta actitud llevada al extremo es peligrosa, porque si no soy *para nada* responsable de mi destino, ¿para qué luchar entonces? El punto
de control externo elimina de cuajo la autoestima porque
nos cosifica, nos niega la posibilidad de escribir nuestra
propia historia, nos quita fuerza. Sin embargo, no podemos negar que en ocasiones mantener un punto de control externo nos obliga a la sana resignación, a aprender a
perder. Si el punto de control externo es total e irrevocable, la depresión es segura.

El *pensamiento personalista* aparece cuando nos quedamos
en el extremo del punto de control interno y descartamos de
manera irracional la influencia que puedan tener los eventos
externos. Veamos dos ejemplos.

Adriana es una joven que trabaja como diseñadora de ropa
infantil. Su actitud frente a la vida es la de sentirse responsable
por todo lo que ocurre a su alrededor, trabajo incluido. Si un
producto diseñado por ella no logra el nivel de ventas que se
esperaba, automáticamente el pensamiento personalista se dispara: "El diseño no fue bueno", "Lo podría haber hecho mejor" o "Yo soy la culpable". Los otros posibles factores, como

la exposición en los puntos de venta, los canales de distribu-
ción o la recesión económica del país, no son tenidos en cuenta
en su análisis. Sólo existe un punto de control interno altamente nocivo, ilógico y determinista: "Yo soy la única responsable". En el área afectiva ocurre algo similar. Cuando un
amigo o amiga se aleja, la única explicación que se le ocurre
tiene que ver con ella misma: "No sé mantener mis relaciones" o "Soy mala amiga". Una vez más: su razonamiento descarta las variables externas (como por ejemplo las características psicológicas o el estado de ánimo de las otras personas) y
sólo se concentra en sus presumibles fallas. Esta actitud "egocéntrica negativa" la lleva a odiarse a sí misma y a mantener
un estado depresivo casi permanente. Un bajón sostenido
donde la vida pierde día a día su sentido.

Paula se había casado con un hombre inestable y bastante
mujeriego. El problema adquirió ribetes trágicos cuando ella
se enteró de que él tenía una amante desde hacía dos años. La
actitud de Paula fue desplegar un cúmulo de *pensamientos
personalizados* en lugar de buscar un *balance racional* entre el
punto de control interno (en cuánto y en qué, verdadera y
objetivamente, soy responsable) y externo (en cuánto y en
qué es él el verdadero responsable). Reproduzco parte de una
entrevista.

Terapeuta: ¿Realmente crees que tienes la culpa de lo que
                ocurrió?
Paula: No fui una buena esposa.
Terapeuta: El registro de la semana pasada mostró un pro--

medio diario de sesenta pensamientos personalizados, donde tú te sientes la principal responsable de la infidelidad de tu esposo. ¿No
crees que él también tenga su parte?

Paula: Yo no fui lo suficientemente cariñosa... Ni le
di gusto en lo sexual... Debería haber accedi-
do a lo que me pedía, pero yo soy muy repri-
mida...

Terapeuta: El amor es muy frágil. Hay millones de parejas
que luchan por su relación y tratan de buscar
acuerdos porque piensan que vale la pena.

Paula: Si yo hubiera sido mejor, él no se hubiera bus-
cado una amante...

Terapeuta: Aceptemos que podrían haberse comunicado
mejor, pero eso fue de parte y parte.

Paula: Él no es un hombre muy comunicativo.

Terapeuta: ¿Y no crees que un marido más comunicativo
podría haber facilitado la cosas?

Paula: Sí, pero a él le cuesta expresar los sentimientos...

Terapeuta: Me dijiste que tus otras relaciones habían sido
bastante satisfactorias: todos te trataron bien y
fueron fieles. ¿Cómo te explicas que aquí no
haya funcionado?

Paula: No sé, ya no sé...

Terapeuta: Al menos podemos decir que la falta de comunicación no es totalmente responsabilidad tuya

	y que en tus relaciones anteriores fuiste una buena pareja, ¿estás de acuerdo?
Paula:	Sí, así es…
Terapeuta:	Siempre podemos ser mejores, pero no me parece que tu "mal comportamiento como esposa" justifique la conducta de tu esposo. Pienso que si hay amor de verdad, uno trata de mejorar las cosas antes de buscarse una sustituta.
Paula:	¿Usted quiere decir que no me amó lo suficiente?
Terapeuta:	No podría responder eso, pero de lo que sí estoy seguro es de que tú no eres la única responsable, ni siquiera la principal. Tu tendencia general a personalizar los hechos hace que te veas a ti misma como la causante de todo.
Paula:	Saber que no soy la única responsable no me devuelve mi relación.
Terapeuta:	Pero alivia tu malestar, la carga se distribuye mejor y te hacer ver las cosas con más objetividad. Si aceptas que el problema fue de los dos, dejarás de sentirte la "mala" y podrás actuar de una manera más inteligente.
Paula:	Me gustaría no sentirme tan culpable…

La culpa es un valor social. La premisa es como sigue: Si cometes un error y no te sientes muy mal por ello eres malo o mala. Pero si te sientes muy mal por haberte equivocado, eres bueno. La paradoja del autocastigo: sentirse mal para sentirse éticamente bien. (En el libro *Cuestión de dignidad* profundizo sobre el tema de la culpa y la asertividad.)

No tienes la culpa de todo, eso es obvio, aunque a veces te gustaría que fuera así, ni eres tan importante como para ser el centro del mundo. Digas lo que digas y hagas lo que hagas, lo que ocurre a tu alrededor no siempre tiene que ver contigo. Trata de moverte hacia un punto de control interno más o menos moderado. Aquí tienes tres opciones:

a.   *Punto totalmente externo (fatalismo): "Nada depende de mí".*

Interno ←————————————————→ Externo
(X cerca del extremo externo)

b.   *Punto totalmente interno (personalización): "Todo depende de mí".*

Interno ←————————————————→ Externo
(X cerca del extremo interno)

c.   *Punto de control interno racional: "Muchas cosas dependen de mí".*

Interno ←————————————————→ Externo
(X hacia el centro-interno)

De las tres opciones, el punto (c) es el más saludable, ya que se encuentra cerca del punto de control interno pero no en el extremo: "Las cosas dependen de mí, pero no todas ni de manera definitiva".

Asumir la culpa por todo es una manera de autocastigarte. Así, cuando empieces a hacerte cargo de todo lo malo, busca también las causas externas. Descéntrate y orienta la atención hacia otros factores ajenos a ti, que con seguridad intervienen. Equilibra tus atribuciones, pondera la información disponible, externaliza un poco el pensamiento.

No te laves las manos, pero tampoco excluyas el mundo y las demás variables para explicar tu comportamiento; de ambos modos la culpa te aplastaría. No creas que lo malo te persigue. Si el pensamiento personalista se vuelve costumbre, la depresión se instalará en tu vida.

Pensamiento repetitivo o rumiador

Rumiar hace referencia a la costumbre alimenticia de los animales herbívoros de masticar por segunda vez el alimento, devolviéndolo de la cavidad del estómago donde estuvo almacenado. Por analogía, decimos que una persona es rumiadora mental cuando piensa de manera reiterada y obsesiva la misma cuestión[56]. Por lo general el pensamiento repetitivo se localiza de manera obstinada en los *porqué*, los *cómo* y los *qué* de una emoción perturbadora, tratando de hallar una solución o un aplacamiento al malestar[57]. Aunque a veces la rumiación pueda mostrar un consuelo aparente, las investigaciones muestran que en la mayoría de los casos el alivio esperado no se alcanza[58]. Más aun, el pensamiento reiterativo puede llegar a enfermar a la persona porque actúa como un círculo vicioso que recicla la preocupación (ansiedad) y alimenta el esquema negativo[59].

Cuando estamos ante un problema que parece irresoluble, la mente puede optar por la estrategia compulsiva de volver una y otra vez sobre lo mismo, machacar, revisar y desmenuzar la información con la esperanza de que esta actividad analítica produzca un efecto benéfico. La autobservación es indispensable para potenciar nuestras capacidades, pero si se convierte en rumiación, el sentido original se distorsiona. La belleza de la meditación sería reemplazada por la actitud neurótica del que rezonga y refunfuña.

Hay circunstancias en las que el sistema se sobrecarga y pensar sesudamente se devuelve como un bumerán. En esos momentos, la solución al problema suele llegar por otros caminos, no tan racionales. Es el fenómeno del "ajá" o del "¡Eureka!", del bombillo que se prende como por arte de magia y todo empieza a encajar. El cerebro logra reunir las piezas y capta la totalidad del rompecabezas. Se llama *creatividad*: un salto al vacío, el efecto sorpresa, un *flash* repentino donde la conclusión hace su súbita aparición sin que se entienda cómo[60].

Aléjate de vez en cuando de los temas que te preocupan, cambia de dial y deja que la mente se reorganice y adquiera una nueva perspectiva. El proceso creativo necesita de un período de descanso conocido como *incubación*. Hay que crear las condiciones para que el aparato mental pueda dar sus frutos. Ningún científico o artista lograría nada significativo si se dejara llevar por la premura de un pensamiento rumiador. Aclimatar y serenar la mente, alejarla de la cavilación, ponerla a hacer otra cosa. La mente desprevenida es la que prefieren las musas.

Claudia era una señora de sesenta y tres años, casada y con

cuatro hijas mujeres. Había asistido a mi consulta debido al estrés ocasionado porque su hija menor, que había terminado su carrera de administración de empresas hacía unos meses, aún estaba desempleada. Este hecho, en principio comprensible (los comienzos no son fáciles), se había convertido para Claudia en una cuestión de vida o muerte. Sus pensamientos más frecuentes eran: "¿Por qué no encuentra empleo si es tan estudiosa e inteligente?", "¿Por qué otras personas menos preparadas sí consiguen trabajo y ella no?", "¿Qué estará haciendo mal?", "¡Dios mío, ¿qué está pasando?!", "¿Qué debo hacer para ayudarla?", "¿Cómo es posible que esto esté ocurriendo?", "¿Será que no estamos enviando las hojas de vida al lugar correcto?", "¿Y si no consigue trabajo?", "Debo encontrar una solución", "¿A quién deberíamos recurrir?" En fin, todos sus recursos cognitivos actuaban al servicio de una preocupación laboral cada vez más creciente. Sus pensamientos negativos no sólo eran reiterativos sino que estaban plagados de preguntas sin respuestas.

Su conducta era un dolor de cabeza para la gente que la rodeaba: llamaba continuamente a amigos y conocidos para pedirles trabajo para su hija, cuestionaba e increpaba a su marido por su "falta de interés", reprendía a su hija porque "no se esforzaba lo suficiente", rezaba, prendía velas, pensaba, pensaba y pensaba. Había bajado siete kilos en un mes y medio, no dormía bien, se había vuelto irritable e hipersensible, lloraba sin motivo aparente y afirmaba que sólo hallaría la paz si su hija lograba encontrar empleo.

Aunque el tratamiento logró cierta mejoría, en la actualidad Claudia sigue asistiendo regularmente a una terapia de tipo cognitivo-conductual porque si bien su hija ya consiguió empleo, ella considera que está enrolada en la fila de los "mal empleados" e insiste que cuando Dios le haga el milagro de que su hija acceda a un ascenso laboral u otro puesto de mejor categoría, volverá a nacer.

No te empecines. La obsesión sólo sirve para consumir tus facultades. El pensamiento es útil si lo ubicas en su sitio, si no exageras su uso. En el fondo, el pensamiento reiterativo no es otra cosa que la manifestación de la impaciencia. No pensar y dejar la mente en blanco es muy difícil, porque cuanto más intentamos desechar un pensamiento, más se fortalece. El pensamiento se vuelve importante, se engrandece. Es una de las tantas paradojas de la mente. Si te pidiera que no pensaras en un oso blanco, el esfuerzo por no pensar en él haría que tu sistema de procesamiento de la información se impregnara de osos blancos. En muchas ocasiones, no querer pensar lleva a pensar más. A veces, es mejor la distracción, la inatención sin tanto esfuerzo, mirar para otro lado, comprender que el pensamiento reiterativo no es saludable.

No creo que necesites un curso especial para dejar de destruirte, si en verdad quieres pensar bien. Si metes el dedo en el enchufe y recibes una fuerte descarga eléctrica, ¿necesitarías una explicación teórica del efecto de la corriente eléctrica sobre tu organismo para no volver a hacerlo o un listado de ventajas y desventajas? El impacto te convertiría automáticamente en un experto en electricidad. Volvemos al principio: ver las cosas como son. Pragmatismo puro: rumiar enferma, no genera soluciones significativas, te cuestiona innecesariamente y se convierte en una pesadilla para la gente que te rodea. Me pregunto: ¿no son suficientes motivos para hacerla a un lado?

¿La parte o el conjunto?: dos estilos de pensamiento inconcluso

Analizaré dos formas de pensamiento inconcluso que pueden considerarse corolarios del pensamiento dicotómico:

a. Cuando se tiene en cuenta sólo una parte del todo y se sacrifica el conjunto (racionalistas/detallistas).

b. Cuando se considera solamente el conjunto y se descarta la parte (emocionales/holisticos)[61,62].

Obviamente, cualquiera de estos modos llevará a conclusiones incompletas y erróneas que afectarán el comportamiento. Analicemos cada uno en detalle

1. Racionalistas/detallistas

Estas personas, por ver el árbol no ven el bosque, se quedan en los detalles, son minuciosas, ultraracionales y excluyen la experiencia subjetiva (sentimiento/afecto/emoción). Al quedarse pegados a los pormenores y eliminar la percepción del conjunto llegan a resultados parciales y fragmentados. La mente que utiliza esta "visión en túnel" inevitablemente termina por distorsionar la información. Desde esta perspectiva, el que robó una vez es visto como un ladrón. La conducta, así sea una, determina la personalidad y el carácter del ejecutante. La conclusión es desproporcionada.

La **sobregeneralización** consiste en llegar a una conclusión *general* partiendo de uno o más incidentes *aislados*. La anécdota, el caso particular, se convierte en criterio para tomar decisiones. Por ejemplo, podría llegar a la conclusión de que los brasileros son apáticos e introvertidos porque mi vecino brasilero es así, contradiciendo cualquier estadística al respecto que dice exactamente lo contrario.

Recuerdo el caso de un hombre joven que se negaba a tener una relación afectiva estable porque en su concepto las mujeres eran "traicioneras" e "interesadas". Cuando le pregunté en qué fundamentaba su opinión me respondió: "Mi esposa me dejó por otro, ¿le parece poco?" En otro caso, una mujer ya entrada en años, militante activa de un grupo político, argumentaba que *el senado era honesto* porque algunos de sus miembros lo eran. Un anciano cascarrabias sostenía que su casa era un infierno porque nunca encontraba las cosas donde las dejaba. Una señora afirmaba de manera enfática que su matrimonio era un desastre porque su marido no la comprendía: su razón era que *en ocasiones*, él la contradecía, no importaba que tuvieran una buena vida sexual y afectiva, la "discusión esporádica" era el indicador que representaba al matrimonio como un todo.

Una de las características más importantes de este estilo es la exclusión de la subjetividad y de la emoción. Suelen ser personas extremadamente lógicas (el síndrome del señor Spock, de *Viaje a las estrellas*), que con frecuencia carecen de inteligencia emocional. La emoción también debe ser considerada como un tipo de información que el sistema requiere para funcionar adecuadamente. La emoción le da orientación y motivación al comportamiento, imprime energía y nos ayuda a comunicarnos, entre otras muchas funciones. Sin ella no seríamos más que fríos computadores.

El pensamiento racional no debe confundirse con la "racionalización". *Pensar racionalmente* es eliminar el pensamiento supersticioso de nuestra vida y tender a un pensamiento más agudo, eficiente y saludable que no genere malestar ni alimente emociones perturbadoras o destructivas. En cambio la "racionalización" es un mecanismo de defensa o una estrategia compensatoria cuya misión es minimizar los estados emocionales o evitarlos. Pensar bien no es excluir la emoción sino integrarla cuando debe hacerse y en dosis adecuadas. Hay veces en que debemos ser muy emocionales y otras, bastante racionales. La sabiduría está en aprender a discriminar. No existen pensamientos puros, nuestro sistema está impregnado de afecto y son muy pocas las emociones libres de cognición. Razón y emoción: dos caras de la misma moneda.

2. Emocionales/holísticos

Esta manera de procesar la información es opuesta a la anterior: por ver el bosque no ven el árbol. Son personas que sacrifican los detalles por la totalidad, se quedan en lo global y le creen más a las emociones que a la lógica. La mente que utiliza este procesamiento emocional termina cometiendo errores de todo tipo, porque una cosa es integrar la emoción y otra muy distinta es dejarse llevar absolutamente por ella. El sentimentalismo descontrolado imprime una cualidad impresionista, romantizada y dramatizada al pensamiento, lo cual genera un distanciamiento con la realidad.

Creerle ciegamente a la intuición puede resultar peligroso. No niego que haya momentos en que la magia pueda ser divertida y hasta relajante, pero hacer de ello una forma de vida nos arrastra a la credulidad y al pensamiento mágico. ¿Te harías operar por un cirujano que en vez de utilizar los procedimientos técnicos se dejara llevar exclusivamente por su intuición? ¿Te montarías en un avión en el que el piloto empleara su "presentimiento" en vez de los radares? No conozco ningún hombre de negocios que decida "intuitivamente" cómo invertir unos cuantos millones de dólares. Pese a lo obvio de esta argumentación, llevamos a cabo infinidad de actividades basados en nuestra capacidad de adivinación.

Hace poco pude ver en un canal de televisión que promueve este tipo de ideas un debate de "expertos en sirenas". Los participantes hablaron durante una hora sobre las características psicológicas y las particularidades afectivas de las sirenas. Por ejemplo: cómo se embarazan, su misión en el mundo humano y los traumas y las angustias que padecen. Pero lo que verdaderamente llamaba la atención era la seriedad y propiedad con que tocaban el tema. Para ellos no se trataba de una suposición, sino de una verdad absoluta: ¡las sirenas existen y hay toda una metodología disponible para poder estudiarlas! Nunca observé un dejo de duda o de escepticismo en los expositores. El descaro era tal, que por momentos me parecía estar viendo la *National Geographic* o el *History Channel*. Una persona que crea firmemente en estas cosas puede llegar a explicaciones fantásticas y descabelladas sobre cualquier cosa, incluso su propia vida.

El **pensamiento emocional**[63] se presenta cuando un individuo considera sus sentimientos y/o emociones como una evidencia de la realidad. Por ejemplo: "Me *siento* como un tonto, por lo tanto, *soy* un tonto". Como si se tratara de una varita mágica, la emotividad convierte en realidad todo lo que toca. Los hechos objetivos se desconocen para dejarle lugar al afecto: "No importa que me desempeñe bien en mi trabajo; si *siento* que lo hago mal, *soy* ineficiente". Lo que *siento* se proyecta a mis creencias y juicios hasta distorsionarlos: "Me siento culpable, entonces debo haber hecho algo malo" o "Siento que no me quieres, por algo será". *Sentir* igual a *ser*.

Como ya mencioné, las evaluaciones de las personas emocionales/holísticas son opuestas a las de los racionalistas/detallistas: Por ejemplo: "Los españoles me parecen simpáticos, por lo tanto mi vecino español es simpático", la totalidad es absorbida por la singularidad. Ante la afirmación racionalista/detallista: "*Un* hombre abusó de mí, por lo tanto *todos* los hombre son violadores" (tomar la parte por el todo), el estilo emocional/holístico podría partir de lo opuesto: "*Todos* los hombres son violadores potenciales, por lo tanto, *este* hombre específico seguramente me quiere violar". Los extremos se juntan en el estereotipo. La irracionalidad puede llegar de abajo o de arriba, de lo particular a lo general o de lo general a lo particular.

Entonces: ni la parte aislada, ni el conjunto excluyente, sino ambas cosas. Ni razón pura ni emoción pura, más bien la integración. No puedo comprender lo particular sin el conjunto que lo contiene y no puedo comprender el conjunto sin tener en cuenta sus componentes. Los racionales/detallistas llevados al extremo configuran un cuadro clínico conocido como TOC (trastorno obsesivo compulsivo) y los emocionales/holísticos pueden desarrollar una alteración psicológica reconocida como trastorno de la personalidad histriónica.

No te dejes obsesionar por la lógica y los detalles ni le creas ciegamente a los sentimientos. Ambos, razón y emoción, deben estar juntos para asegurar que tu pensamiento sea adaptativo. Necesitas enfriar tus procesos pero no congelarlos. El balance entre razón y emoción lo puedes lograr haciendo la siguiente simulación. Cada vez que tengas que tomar una decisión lleva el calibrador mental al extremo racional y quédate allí un rato analizando "fríamente" la cuestión. Luego deslízate hacia el polo opuesto de la emoción y concéntrate en "sentir". Realiza este juego (punto y contrapunto) varias veces. Expón las razones lógicas (que te dicta la mente) y las razones emocionales (que te dicta el corazón). Hazlas explícitas y en lo posible intenta integrarlas. Mi experiencia es que las razones lógicas pesan más que las emocionales y nos llevan a cometer menos errores, pero si se combinan con las del afecto puedes matizar tu decisión y hacerla más humana y acorde con tus necesidades. Lo importante es que estés atento tanto a los componentes del conjunto como al conjunto mismo.

Parte III

ESQUEMAS SALUDABLES
Reflexiones sobre el arte del buen vivir

Como vimos en las dos partes anteriores *no somos buenos procesadores de la información* porque nuestras facultades mentales son limitadas[64],[65]. No obstante, la mente humana puede adquirir una capacidad de vuelo sorprendente, tal como atestiguan las más antiguas tradiciones filosóficas y espirituales. Podemos crear estilos de vida o esquemas saludables que nos permiten superar o compensar algunas de las restricciones de nuestro cerebro y evolucionar hacia una existencia más tranquila y feliz. *Cada quien debe configurar su propia filosofía del buen vivir de manera consciente y explícita. Pensarse a sí mismo en relación con su propio proyecto de vida: ¿Qué quiero?, ¿Qué necesito?, ¿Cómo he de vivir?, ¿Qué es negociable y qué no lo es?* Preguntas existenciales, éticas y motivacionales.

Quizás debamos ir hacia atrás en vez de ir hacia adelante y rescatar aquel saber ancestral que reposa silencioso en cada uno de nosotros: la *disposición práctica* de la que hablaba Aristóteles. La capacidad de saber elegir lo que es bueno para el hombre en general y lo que es bueno para uno. Es la actitud del *hombre verdad* al que hacía referencia Chuang-Tzu, 300 años a.C.[66]:

"¿Qué es el *hombre verdad*? A los antiguos hombres verdad no los contrariaba la escasez, no se enorgullecían ('se hacían machos') con los éxitos. No reclutaban adeptos. Sus faltas no los avergonzaban, ni los aciertos los engreían. De esta manera, encaramados en las alturas, no temblaban; sumergidos en el agua, no se mojaban; metidos en el fuego, no se calentaban. Así, con su sabiduría, podían remontarse a las alturas del Tao. Los antiguos hombres verdad, durmiendo no soñaban, despiertos nada les apenaba. Su comida no era exquisita. Su respiración era profunda. La respiración de los hombres verdad llega hasta los talones" (pag. 42).

Nos guste o no, en el ser humano existe una profunda exigencia de sentido, un anhelo por lo genuino y por lo no contaminado que nos permita ser verdaderamente libres. Es el requerimiento de la autorrealización. Ansiamos una transformación interna y radical, una forma de mutación que nos contacte con nuestra propia esencia. Si Krishnamurti tenía razón, en cada uno de nosotros descansa la historia de toda la humanidad y, por lo tanto, el autoconocimiento es el camino principal.

En este apartado me referiré a esquemas (creencias, estilos de vida) motivacionales, protectores y generadores de inmunidad mental, en los que la psicología se encuentra con la filosofía. En una próxima publicación ahondaré sobre aquellos legados de la sabiduría antigua y medieval y su aplicación a la vida cotidiana y a la psicología clínica.

Ser más que tener: la austeridad interior

Aunque algunos no lo compartan, para mí es evidente que las personas no valen por lo que tienen sino por lo que son. Nuestra cultura gira alrededor de las tres "p", como ya he señalado en otros escritos: *poder, prestigio y posición*. Somos más amables y receptivos con las personas que ostentan estas tres "p" o alguna de ellas. No tratamos igual al humilde que al poderoso, al pobre que al rico. *Tener* es un valor. Envidiamos a los grandes del *jet set*, nos identificamos con los ídolos y con los bienes materiales que tenemos, confundimos el norte con el sur. Nunca entendí a los que se sienten "orgullosos" de su patrimonio económico y menos aun a los que felicitan a los otros por lo que tienen: "¡Te felicito por tu automóvil!", "¡Te felicito, tu reloj está hermoso!" ¿Habrá estupidez mayor?

Elogiamos más fácil los muebles y la ropa de alguien que su inteligencia o su bondad. No recibimos en nuestra casa igual a un invitado común y corriente que a uno "importante", incluso podemos llegar a gastar lo que no tenemos por estar a la altura del convidado. Si el presidente de la república asistiera una noche a cenar a tu casa, ¿te mostrarías como en verdad eres o intentarías tirar la casa por la ventana? ¿Serías igual de buen anfitrión con un invitado humilde que con el primer mandatario?

Según Fromm[67,68], el modo del *ser* se diferencia del modo del *tener* en que el primero nos hace crecer porque está a favor de la vida y la vivacidad, mientras que el segundo está al servicio del egocentrismo, del Narciso que llevamos dentro, de la esterilidad, del yo acaparador, de la posesión y la codicia.

Citemos al Maestro Eckhart, uno de los místicos cristianos de la Edad Media más notables[69]:

> "La gente nunca debería pensar tanto en lo que tiene que hacer; tendrían que meditar más bien sobre lo que son... Saber por lo dicho que uno tiene que cifrar todo su empeño en ser

bueno y no insistir tanto en lo que uno hace o en la índole de las obras, sino en cómo es el fundamento de las obras" (pág. 91).

Cuando estamos en el modo del *ser*, no competimos, no necesitamos mostrar ningún récord ni pavonearnos con nada; hay alegría esencial, hay una forma de satisfacción que se basta a sí misma: somos auténticos. Aceptarse incondicionalmente y poder decir "¡Soy como soy!" nos ubica en el mismo centro de nuestro ser, hacemos contacto con la singularidad que nos determina sin exaltar el ego. En el estado del *ser,* el potencial se desliza hacia arriba sin tanto esfuerzo.

En uno de sus sermones (*Los pobres de espíritu*), Eckhart propone "vaciarse" de todas las necesidades. No reniega del *tener* en sí, sino del *apego* a lo que tenemos. Si estoy dispuesto a renunciar a lo que me pertenece en cualquier momento, si no me igualo egoístamente con mis posesiones, entonces el *tener* no se contradice con el *ser*. No aferrarse a nada, sólo dormir cuando se tiene sueño y comer cuando se tiene hambre, disfrutar de lo que tengo, pero de una manera libre. Más concretamente, dice:

"Un hombre pobre, es aquél que no *quiere* nada, no *sabe* nada y no *tiene* nada" (pág. 75).

Aclaremos estos puntos:

a. No *querer nada*: en el sentido de no codiciar, tal como sostenía Buda. No desear con ansias. Codicia: "apego desordenado a las riquezas", incluso a las cosas buenas, incluso al cielo, incluso a la santidad. La filosofía del *tener* promueve una actitud mercantilista en todas las áreas. Recuerdo una canción de *Sui Géneris*, un conjunto de rock argentino de los años setenta, *Confesiones de invierno*, que expresaba bellamente lo que quiero decir: "Dios es empleado en un mostrador, da para recibir". En palabras de Eckhart, menos musicales pero más profundas:

> "Mirad, mercaderes son todos aquéllos que se preservan de los pecados graves y a quienes les gustaría ser gente de bien y hacer obras buenas para agradar a Dios, como ayunar, velar, rezar y cosas por el estilo; todo tipo de obras buenas, y las cumplen con el fin de que Nuestro Señor les dé algo a cambio o que Dios haga algo por ellos que sea de su agrado: todos ellos son mercaderes" (pág. 36).

Vaciarse es dejarle lugar a Dios, sin esperar nada, sin anticipar ganancias de ningún tipo. Difícil para quienes hemos sido educados en una cultura en la que el dinero y el intercambio es el valor más importante. ¿Cuál es la opción? *No codiciar en lo absoluto*. Lo que define el desapego no es tanto el ascetismo como la disposición activa a renunciar a "cualquier cosa" si hiciera falta.

b. No *saber nada*: en el sentido de no aferrarse al conocimiento como una forma de exacerbar el ego. No se trata de *tener conocimiento* acumulado, sino de *conocer* como proceso. *Pensar* es mejor que *tener pensamientos*. Muchos "intelectuales" y adictos al conocimiento, como veremos más adelante, hacen de la erudición un valor y se recrean en un falso saber que no les pertenece. Todas las tradiciones espirituales coinciden en que el hombre debe desocuparse del conocimiento para descubrir la verdad, lo otro, lo innombrable, lo intemporal, Dios, o como quieran llamarlo. No significa ser ignorante sino estar dispuesto a descartar cualquier idea o creencia si debiera hacerse. El santo no sabe que es santo, el sabio no sabe que es sabio, *no saber que sé* me aproxima a la sabiduría. Basta ir a un congreso científico, no importa la especialidad, para darse cuenta de que muchos de estos eventos no son otra cosa que encuentros de egos, donde lo que se admira y alaba es la "actualización" de los expositores. Jamás podría hacerse una "reunión anual de sabiduría" porque si alguien asistiera al evento no sería sabio. La famosa máxima socrática, dicha hasta el cansancio: "Solo sé que nada sé", no es otra cosa que la toma de conciencia de que ningún conocimiento humano es capaz de producir certeza y garantizar la felicidad total.

c. No *tener nada*: en el sentido de estar libre de las cosas y disminuir las necesidades que tenemos. Diógenes Laercio[70], un historiador del siglo III d.C., nos cuenta dos anécdotas de Sócrates relacionadas con lo anterior. En la primera de ellas, Alcibíades le ofreció a Sócrates un terreno muy espacioso para que construyera una casa, a lo cual éste respondió: "Si yo tuviera necesidad de zapatos, ¿me darías todo un cuero para que me los hiciese? Luego, ridículo sería si yo lo aceptara". La segunda anécdota se refiere a la actitud que Sócrates asumía ante la compra y venta de objetos; en palabras de Laercio:

> "Viendo frecuentemente las muchas cosas que se venden en público, se decía a sí mismo: '¡Cuánto hay que no necesito!' Repetía a menudo aquellos versos:
>
>> 'Las alhajas de plata,
>> de púrpura las ropas,
>> útiles podrán ser en las tragedias;
>> pero de nada sirven en la vida'" (pág. 77).

Piensa un momento: ¿cuántas cosas te sobran?, ¿cuántas tienes de más?, ¿a cuántas te apegas sin sentido? Es en las situaciones límite, como en el caso de una enfermedad grave, un exilio forzoso, una guerra, la pérdida de un ser querido o una quiebra económica, cuando realmente caemos en cuenta de que muchas de las cosas que defendíamos a capa y espada "de nada sirven en la vida". La idea, obviamente, no es hacer un culto a la pobreza exterior, a la hambruna o justificar la explotación. Más bien se trata de no encadenarse a nada material, entendiendo que lo que *somos* nada tiene que ver con lo que *tenemos*. La necesidad de estatus es un síndrome que requiere ayuda profesional.

La actitud que acompaña la "pobreza interior" que pregonaba Eckhart no es otra cosa que la *independencia radical* de las posesiones, sean éstas materiales, intelectuales o espirituales, no su negación, sino la autonomía psicológica respecto de ellas. *Obtener* es una cosa y *ser* es otra. Hace poco vi un programa sobre la vida de Michael Jackson. El hombre se levanta un día cualquiera y dice: "Hoy quiero gastar", y tranquilamente sale de compras. ¿A comprar qué? No tiene idea. Sale a ver de qué cosas se antoja. Entonces entra a un lugar de artículos de decoración y comienza a comprar de manera compulsiva. Lo más sorprendente es que no sabe lo que tiene la casa: "Quiero esto, esto, esto"… y de pronto, la duda metódica: "¿Será que ya compré este jarrón, ya lo tengo?" Se gastó casi un millón de dólares. Los miles de adornos que lo rodean no conviven con él, *son* él.

Aunque hay dudas sobre su veracidad, en el anecdotario filosófico es muy conocido el encuentro entre Diógenes (filósofo cínico que vivía en un tonel y cuyos únicos bienes eran una capa y un bastón) y Alejandro Magno. En una ocasión, cuando Diógenes estaba tomando sol delante de su barril, Alejandro se paró frente a él y le dijo que estaba dispuesto a concederle lo que él quisiera. Diógenes pensó un rato y respondió: "Sí tengo un deseo, que te apartes y me permitas ver el sol".

Insisto: vivir bien es un placer y sería estúpido renunciar a ello, pero si la autoestima comienza a ser proporcional al tamaño de la chequera, la cosa se complica. Somos muy parecidos entre nosotros, así les duela a los que se creen "especiales" y "distintos". Existe una identidad universal que nos unifica por lo bajo y que se hace evidente en la adversidad, cuando el estatus se viene a pique y la soberbia no encuentra dónde echar raíces. Dice Eckhart, finalmente: "La humanidad es tan perfecta en el hombre más pobre y despreciado, como en el papa o el emperador".

Sabiduría más que erudición

Veamos qué nos dice el diccionario:

Erudición: "Vasto conocimiento de los documentos relativos a una ciencia".

Sabiduría: "Prudencia en la vida y los negocios".

El ideal antiguo de la sabiduría estaba determinado por una fusión entre teoría y práctica. Dos saberes: uno circunscrito a la investigación y el otro abierto al mundo y a los dilemas del día a día. Montaigne[71] separaba ambos conceptos de manera similar. Definía la erudición como la línea dura del conocimiento y consideraba a la sabiduría como un conocimiento más amplio y vital: tratar de alcanzar la vida feliz a través de la razón o la prudencia. Pensar bien, sentirse bien.

Muchos hombres de ciencia son totalmente incapaces de resolver las dificultades más elementales del quehacer cotidiano, como si la investigación científica fuera discordante con el buen desempeño social o interpersonal. ¿Por qué no enseñar en los colegios, además de las materias tradicionales, estrategias de resolución de problemas para el diario vivir, problemas comunes y corrientes? Sabiduría simple y llana, pueril y necesaria. Si alguien duda puede preguntarse con toda honestidad qué tanto han contribuido a su calidad de vida la tangente hiperbólica, las integrales de números imaginarios, la fecha de nacimiento de Napoleón, el día de la invasión a Normandía, la teoría cuántica, la geometría descriptiva, la ley Hooke, las interminables y complejas fórmulas químicas o la clasificación de los pares craneales. La felicidad parece que recorre otros caminos, si es que existe.

No niego que los conocimientos técnicos puedan beneficiarnos de manera directa o indirecta, lo que sostengo es que el arte del buen vivir requiere de aptitudes y destrezas que poco tienen que ver con la típica ilustración de doctos y letrados. Para crear un estilo de vida saludable y alegre no necesitamos de tanta erudición.

Nos inhíben las personas que se expresan con términos complicados o hacen uso de un lenguaje ininteligible. Nos parece que saben más que uno, ése es el mensaje que nos ha transmitido la cultura. Creemos que lo incomprensible es signo de genialidad y confundimos dificultad con profundidad: lo fácil es superficial, lo difícil debe ser producto de la inteligencia. Si hoy apareciera Sócrates disertando en alguna de las universidades tradicionales, lo echarían a la calle por no utilizar suficientes referencias bibliográficas; sería visto como un mercachifle. Siempre es posible explicar lo difícil de una manera más fácil y amigable. La siguiente premisa pedagógica confirma lo anterior: *quien entiende un fenómeno perfectamente es capaz de explicarlo y hacerlo asequible al público sin tener que recurrir a tanta cháchara.*

En el texto *Imposturas intelectuales*, Sokal y Bricmont[72] muestran cómo muchos respetados autores de distintas áreas, como físicos, lingüistas, filósofos y psicoanalistas, tratan de impresionar e intimidar al lector no científico. Consideran que en muchos casos estos científicos exhiben:

"...una erudición superficial lanzando, sin el menor sonrojo, una avalancha de términos técnicos en un contexto en el que resultan absolutamente incongruentes" (pág. 22).

Obviamente, al menos en teoría, no es incompatible erudición con sabiduría, pero la experiencia demuestra que cuanto más se acerca la gente a la sabiduría, más se aleja de la erudición, o la necesita menos. La sabiduría es un conocimiento más vasto, más fundamental: se trata de cómo vivir mejor, estando bien con uno mismo y con los demás. No tiene pretensiones académicas, no busca portadas ni aplausos, sólo tranquilidad. Los sabios no necesitan estar actualizados, eso es evidente. La razón sin la experiencia no promueve el cambio, los conceptos y las palabras por sí solos no reemplazan lo vivencial.

Victoria Camps[73] lo describe así:

"El saber de unos principios prácticos no es sabiduría práctica. Ésta, ya lo dijo Aristóteles, se adquiere con la experiencia y con los años, a fuerza de ensayar y equivocarse, a fuerza de confrontar opiniones diferentes" (pág. 42).

Amalgama entre teoría y práctica. Conocimiento aplicado, el arte del buen vivir. En la juventud estudiamos la sabiduría, decía Rousseau, y en la vejez la aplicamos. Las canas, el tiempo, los golpes, la lucha por la supervivencia, lo que nos ocurre de verdad. Habitar lo real, existir en el contexto, ésa es la fuente del saber que llamamos sabiduría.

El conocimiento te instruye, la sabiduría te transforma. Puedes quedarte sólo con la semántica y la imaginación o saltar a lo experiencial y vivenciar los hechos con plenitud. Si la experiencia te sacude y te lleva a revisar tus paradigmas y a cuestionarte desde lo más profundo, ese conocimiento es transformador; entonces ya no eres el mismo. Lo contrario es estancarte.

Recuerdo el caso de un neurocirujano, docente universitario e investigador, que cuando su mujer lo dejó por otro, desarrolló una depresión severa muy resistente a la terapia. La vida del hombre había transcurrido entre libros, congresos y parafernalias universitarias. Ostentaba un reconocimiento social importante e incluso se le pedía opinión sobre temas sociales y políticos. Formaba parte de varios comités de ética y se mostraba como una persona ecuánime, moderada y relacionista público. Mi paciente había fragmentado su vida, la había limitado a unos cuantos eventos de corte intelectual. En el fondo, era un hombre inseguro, pendiente de los halagos, de los premios y las publicaciones. Había entrado en el mundo de la erudición competitiva, la cual se había convertido en una obsesión. Su capacidad de disfrute ya casi no existía y su capacidad de asombro había quedado circunscrita al quirófano y a las salas de conferencias. No tenía relaciones sexuales hacía siete meses, no estaba al tanto de lo que ocurría con sus hijos e hijas, no practicaba ningún deporte y los pasatiempos brillaban por su ausencia. Una vida vacía, aunque repleta de conocimientos y pergaminos. Aun así, ante la sociedad, mantenía la imagen de un hombre virtuoso y un modelo digno de imitar.

En su primera y única cita me expresó la siguiente preocupación: "No sé como manejar la separación... No sé qué decirle a la gente, mi imagen va a quedar por el suelo... Claro que ella fue la culpable de la separación, ella fue la que se buscó otro hombre... No sé qué decirles a mis colegas...". A los pocas semanas me sorprendió ver en un periódico local un artículo suyo hablando sobre lo que significa ser importante. Sólo había quedado la víctima expiando su dolor a través de las letras. La experiencia de la separación había pasado de largo. No hubo transformación alguna.

Montaigne, otra vez:

> "He visto en mis tiempos a mil artesanos, a mil labradores más sensatos y felices que los rectores de la universidad" (Ensayo II, pág. 85).

La mayor sabiduría es tomar conciencia del propio déficit. Es la "alegría de conocer" y de vivir pese a nuestras limitaciones. El sabio lo sabe y lo acepta. Nadie tiene comprado el futuro. Comte-Sponville en su *Diccionario filosófico*, dice al respecto:

> "La sabiduría, la verdadera sabiduría, no es un seguro a todo riesgo, ni una panacea, ni una obra de arte. Es el reposo, pero alegre y libre, en la verdad".

¿Hay recetas para alcanzar la sabiduría? No creo. Pero la mejor manera de acercarse un poco a ella es por la negativa. El sabio *no* compite, *no* se apresura, *no* habla demasiado *ni* es enredado al decir las cosas, *no* anula el sentimiento, *no* se subyuga ante los aplausos, *no* se incomoda por la crítica, *no* es indiferente a la vida y *no* se las sabe todas. Puede haber más "no", obviamente.

Más allá de las diferencias individuales, lo que sí parece evidente es la existencia de una sabiduría perenne, imperecedera y asombrosamente coherente a lo largo del tiempo. Existe, según Alan Watts, un consenso filosófico único de alcance universal, que ha sido compartido por infinidad de seres humanos que tuvieron las mismas intuiciones profundas y han enseñado la misma doctrina esencial, ya sea en nuestros días o hace seis mil años, en Nuevo México, en el lejano Occidente, el Japón o el lejano Oriente[74].

Quizás el único camino para alcanzar cierta paz interior sea *desaprender en vez de aprender*, dejar de hacer fuerza. Krishnamurti decía que para encontrar a Dios no hay que salir a buscarlo), más bien hay que esperarlo: dejar la casa en orden (mente), abrir las puertas y ventanas (sentidos limpios y sin distorsiones) y entonces, sólo entonces, si somos afortunados, lo *otro*, lo sagrado, hará su aparición.

Anatema a los expertos, que son demasiado expertos

Los expertos tienen cara de expertos y eso los hace inconfundibles. Son personas experimentadas que experimentan lo ya experimentado hasta volverlo habitual, circunscrito, eficiente y automático; mecánico, diría Krishnamurti.

Los expertos nunca andan solos. Siempre están acompañados por novatos que aspiran a ser expertos y alguna atractiva mujer que el experto apadrina por sus dotes intelectuales especiales. Iniciados: hijos pródigos del maestro que derrocha su sapiencia, como quien no quiere y no tuviera más remedio que dejar descendencia. La huella del saber, el efecto piramidal del que está arriba, en la punta, y riega el saber hacia abajo, a los neófitos. No es la ley del gallinero, pero se le parece.

Los expertos siempre nos recuerdan que no somos expertos. Cuando el experto considera que la pregunta que alguien le formuló es poco inteligente, banal u obvia, su respuesta es sutilmente demoledora: (a) sonrisa de conmiseración, (b) mirada escudriñadora teñida de paternidad responsable y (c) la manifestación de un enunciado en tono suave, casi hipnótico: "No, no es así... Se lo explico de una manera más sencilla...".

Los expertos caminan despacio, inclinan un poco la cabeza hacia el lado como si estuvieran absortos en el apasionante mundillo de su intrincada mente. Dicen que no quieren parecerse a los sabios griegos, pero lo intentan. Les fascinan los corredores largos y frescos de las universidades, donde se demoran exageradamente para ir de un extremo al otro.

Los expertos son muy especializados, es decir, han singularizado su ciencia hasta volverla hiperconcentrada y quizás por eso fruncen el ceño cuando la vida no coincide con sus esquemas. No hay nada menos holístico que un experto, incluso los expertos en el tema holístico.

Los expertos saben qué opinión es verdadera y cuál no, dónde se encuentra la información que vale la pena, qué gustos son los adecuados, qué hay que leer, qué hay que comer, dónde hay que ir, quién es bello, quién es feo, cómo debemos vestirnos y desvestirnos, qué películas ver, dónde invertir, qué casa comparar, en fin, gracias a Dios saben qué es lo que nos conviene.

Como es natural, a los expertos les atraen otros expertos. Las tertulias con sus iguales conforman el espacio natural de competencia donde cada quien trata de superar al otro en inteligencia o información. Estas reuniones son inescrutables, tórridas e ingeniosas: abunda la chispa, el apunte oportuno y la sagacidad actualizada.

Los expertos tienen un toque de timidez incipiente, una forma de cinismo ancestral que los hace fluctuar graciosamente entre lo impotable y lo ameno.

Los expertos siempre tienen algún galardón, premio o mención otorgada por otros expertos, que los destaca de la mayoría de los ciudadanos normales. Cuando alguien les recuerda el galardón, ellos apelan a la virtud de la modestia: o asienten con un gesto de resignación ("Es verdad, me descubrieron...") o recurren a una forma de humildad que haría sonrojar al propio Aristóteles ("No fue nada... ").

Los expertos siempre citan a diferentes expertos famosos, que por lo general ya están muertos, o a sus amigos que están vivos y que también los citan a ellos. Este sistema cerrado de admiración mutua de ninguna manera es una muletilla que utilicen para sentirse más seguros, qué va, sino el rebosamiento de la ilustración, la doctitud en acción. El saber se desborda *per se* y no hay más remedio que regar cultura, regalarla al mundo.

Los expertos no saben que no saben contar chistes, por lo tanto los cuentan. En general, son aburridos y con la gracia de una marmota. Pero ese aburrimiento no debe subestimarse, su tedio es considerado por ellos como existencial, elegante, erudito: reminiscencias de Schopenhauer.

Aunque no hay pruebas fehacientes al respecto, se dice que los expertos suelen hablar solos en las noches de luna, usan calzoncillos a cuadros pasados de moda, retienen los estornudos y los eructos, adoran las pipas inglesas, son pésimos amantes y leen revistas de modas a escondidas.

También se dice que cuando llegan a su casa, en la más absoluta soledad y sin más testigos que su atiborrada conciencia, se desploman del cansancio, hastiados de saber tanto.

El otro como sujeto: ética más que moral

Como ya vimos, el egocentrismo es la actitud por la cual descarto de cuajo cualquier punto de vista distinto al mío. Cuando tenemos el narcisismo agudizado, nos sorprendemos de que la gente no esté de acuerdo con lo que pensamos.

Una forma de maltratar al prójimo es no considerarlo un interlocutor válido. Repudiarlo y no verlo "como un otro legítimo en la convivencia", tal como afirmaba el biólogo Maturana[75]. Te *cosifico* en tanto no te reconozco como *sujeto,* como un ser pensante con voz y voto. Aceptar al otro como un "sujeto válido" es mirarlo como "un fin en sí mismo", como alguien que merece respeto y tiene derechos, así no estemos de acuerdo.

Respetar es tomar al otro en serio, y tomarlo en serio es aceptar que tiene algo para decir que vale la pena escuchar.

Umberto Eco[76] afirmaba que la ética comienza cuando los demás entran en escena, es decir, cuando nos vemos "obligados" a defender y fundamentar las propias decisiones bajo la mirada ajena. Entonces ser ético es descentrarse y ponerse en los zapatos del otro.

Si lo vemos en detalle, ubicarse en el punto de vista ajeno requiere de un proceso mental bastante complejo. El procedimiento ético requiere al menos de los siguientes pasos: (a) descentrarse (humildad), (b) adoptar momentáneamente la posición del interlocutor (juego de roles), (c) identificar con claridad su opinión (explorar sin prejuicio), (d) regresar a la propia creencia con la nueva información y (e) tratar de congeniar los intereses particulares con los de la otra persona. Llevar a cabo este juego de ida y vuelta exige una flexibilidad y capacidad nada fácil de alcanzar.

De lo anterior surgen las siguientes preguntas: ¿realmente realizamos este proceso de descentramiento cuando nos encontramos en una discusión o un alegato? ¿Hasta dónde nos preocupamos seriamente por fundamentar nuestros puntos de vista y hacerlos razonables y razonados? ¿Hasta dónde incluimos al otro como sujeto? Pensemos en las relaciones que establecemos con nuestros amigos, la pareja y los hijos: ¿Realmente nos ponemos en su punto de vista cuando abordamos sus necesidades?

Peter Singer[77] dice:

"Al nivel más fundamental del pensamiento ético, debo considerar los intereses tanto de mis enemigos como los de mis amigos, y los intereses de los desconocidos como los de mis familiares. Sólo si, después de tener plenamente en cuenta los intereses y preferencias de toda esta gente, sigo pensando que la acción es mejor que cualquier otra alternativa, puedo genuinamente decir que la debo llevar a cabo" (pág. 209).

Esta identificación con el prójimo no sólo humaniza al interlocutor que tienes al frente sino que te humaniza a ti, en tanto asumes la responsabilidad de sustentar tus posiciones (dar razón de ellas) ante los demás. Es el mundo compartido del que hablaba el filósofo Max Scheler[78], donde se hace evidente la participación afectiva, la empatía o la simpatía: "Mereces mi escucha activa". Reconocer al otro como sujeto es asumir la intimidad ajena, es volver añicos la indiferencia social y afectiva y reafirmar la dignidad como derecho no negociable.

La ética nos induce a pensar antes de actuar, a ser prudentes, a decidir sobre lo que está bien y lo que está mal de acuerdo con nuestros códigos y en relación con el mundo que habitamos. Su pregunta es: "¿Cómo he de vivir?" Tal como vimos, se trata de comportarnos humanamente.

¿Y la moral? Ella nos dice cómo debemos comportarnos. Se refiere más al *deber hacer*, son los imperativos kantianos, es la normatividad sin excepciones, es aquello que garantiza la supervivencia de una sociedad que carece del suficiente amor y por lo tanto necesita de las normas de convivencia. La conducta moral responde a la pregunta: "¿Qué debo hacer?"

Pero la ética exige una condición más, sumamente importante: nuestros juicios deben ser recomendables para todos, es decir, debo imaginarme cómo sería el mundo si todos actuaran de acuerdo con mi manera de pensar. Comte–Sponville[79] lo expresa claramente:

> "¿Quieres saber si tal o cual acción es buena o condenable? Pregúntate qué ocurriría si todos se comportaran como tú" (pág. 25).

Es la primera fórmula del deber de Kant[80]: "Obra siempre de modo tal que la máxima de tu acción pueda ser erigida en norma universal". La moral ordena, la ética aconseja

Cuando nuestro proceder comienza a transitar los terrenos de la ética, empezamos a sentir cierta paz interior. Tiene algo de pacificador ser coherente y obrar acorde con lo que uno piensa y siente. Un sentido de unidad y adaptación sana se apodera del yo y lo enaltece. El estereotipo social que muestra a la persona ética como un ser aburrido, aguafiestas o mojigato es absurdo y carece de todo fundamento. Parafraseando a Comte–Sponville, *la ética es el conjunto reflexionado (pensado) de nuestros deseos*. No se trata de anular nuestras apetencias y anhelos, sino de vivirlos conscientemente, sin culpa ni autocastigo.

"Hacer el bien y sentirse dichoso", decía Spinoza[81] en su *Ética*; lo cual no significa que debamos actuar servilmente. Más bien, lo que quiere decir es que sin la presencia de otros seres humanos, mi humanidad empieza a tambalearse.

1. ¿Qué nos hace humanos?

Lo que nos hace humanos no es solamente la genética, sino lo social. Fue el haber estado junto a otros seres de tu misma especie lo que desarrolló tu humanidad actual. No exagero. La conclusión es determinante: la vida humana, entendida como vida autoconsciente, es decir, capaz de reconocerse a sí misma en el devenir histórico, no es posible sin la presencia de los demás. Karl Popper[82] llamó a esta compleja operación el fenómeno de mirarse al espejo.

En 1977, un antropólogo llamado McLean reportó el caso de dos niñas que en 1922, en una aldea bengalí, fueron rescatadas de un grupo de lobos que las había criado alejadas de todo contacto humano. Una tenía ocho años y la otra, cinco. La menor falleció al poco tiempo y la mayor vivió diez años más junto a otros huérfanos. Ambas se desplazaban en sus cuatro extremidades, tenían hábitos nocturnos, rechazaban a los humanos y preferían a los perros y a los lobos. Obviamente no hablaban y eran totalmente inexpresivas. La separación de los lobos las deprimió al extremo, lo que pareció haber sido la causa de la muerte de la pequeña. Aunque la niña sobreviviente logró estar con una familia humana por un tiempo y pudo caminar en dos pies y articular algunas palabras, nunca se adaptó a la convivencia interpersonal.[83]

Los casos de chimpancés y gorilas criados en familias humanas y a quienes se les ha enseñado el lenguaje de los sordomudos, muestran habilidades lingüísticas y sociales altamente complejas, bastante "más humanas" que las niñas-lobo.[84]

La evidencia disponible en psicología y otras disciplinas afines es bastante concluyente al afirmar que somos humanos en la medida en que nos relacionamos con otros humanos. De ese contacto inicial nace nuestra capacidad de crear significados y representarnos el mundo como lo hacemos. Montaigne en sus *Ensayos*, decía: "Todo hombre lleva en sí mismo la forma entera de la condición humana". *Llevamos dentro la semilla que sólo puede ser activada por otro ser que se realiza en la medida en que nos ayuda a ser.* La cadena de la vida, este contagio de la existencia que nos trasmitimos los unos a los otros, casi siempre, sin saberlo.

2. Cómo intentar ser ético

Hay dos opciones básicas para intentar ser una persona ética, y una no es incompatible con la otra: la razonada y la modelada.

Razonada

Cuando te encuentres ante un dilema ético, sigue los siguientes pasos:

1. Intenta seriamente justificar tu comportamiento y dar *razones* sobre él a la luz de ciertos principios morales o de

algún código valorativo personal y/o grupal asumido como tuyo (razonamiento ético).

2. La defensa de la conducta o su fundamentación no sólo debe incluir tus intereses personales, sino los de las demás personas involucradas, es decir, debes ir más allá de lo que te gusta o disgusta. Aceptar que tus propios intereses no pueden, simplemente por ser tuyos, contar más que los intereses de cualquier otro.[85]

3. Para tener mayor claridad y seguridad, intenta adoptar un punto de vista universal/imaginativo: (a) imagínate en la situación de todos los que han de verse afectados por tu acción/decisión y (b) imagínate cómo sería el mundo si todos actuaran como tú. Pregúntate si prescribirías o recomendarías tu comportamiento al resto de la humanidad o a tus seres queridos.

En resumen: *Comportarse éticamente es hacerlo de una manera que pueda ser recomendada y justificada, teniendo a los demás como testigos y observadores.*

Modelada

Otra forma de resolver los dilemas éticos es *recurrir a los modelos más que a los mandatos.* Hay ocasiones en que la fe en uno mismo se quebranta o la ansiedad nos impide adoptar estrategias de resolución de problemas sesudas y organizadas. Es cuando los escrúpulos se desdibujan y la tentación gana terreno. Si tuvieras la certeza de que nunca serías descubierto: ¿evadirías pagar impuestos, robarías un banco? Si un genio malévolo te ofreciera la felicidad total a cambio de que mataras a un desconocido, ¿te sentirías tentado?

El filósofo Comte-Sponville[86] explica así su estrategia personal para resolver algunos problemas ético-morales:

> "Confieso que cuando me pregunto qué debo hacer, es decir, cuál es mi deber, no me pregunto por lo que la razón ordena... ni a qué ley absoluta se supone debo someterme... ni si la máxima de mi acción puede ser universal, sino más bien qué haría en la misma situación un individuo que sólo actuara por amor (Jesucristo), un individuo que sólo actuara por compasión (Buda), o simplemente un individuo sin bajeza ni debilidad (Diógenes, el Cínico). Pongo simultáneamente en funcionamiento estos tres modelos, les aplico mi razón (para escoger los medios más que para fijar los fines) y eso basta, casi siempre, para indicarme claramente lo que debería hacer" (pág. 242).

¿Qué hacer entonces? ¿Razonamiento o modelos, ética razonada o ética modelada? De acuerdo con mi experiencia, la mezcla de ambos procedimientos suele ser la más fructífera a la hora de tomar decisiones éticas. Razón y ejemplos de sabiduría, más que mandatos y obediencia debida.

3. Una clave adicional: ser coherente

Ser coherente internamente es *pensar, actuar y sentir* para un mismo lado. Los tres niveles de respuesta manifestándose de manera solidaria y conjunta. Mente y cuerpo unidos, sin dualismos, con muy pocas dudas, para que la armonía no se disperse en contradicciones fundamentales. Mente y corazón orientados hacia un mismo fin.

¿Elemental? No tanto. Ser coherente no es fácil. La paradoja y el contrasentido es parte esencial del hombre que se construye a sí mismo. Las "contradicciones internas" nos han acompañado siempre, al igual que la lucha por superarlas. Fromm[87] sostenía que ésa es precisamente nuestra esencia, desplazarnos en una dicotomía no resuelta entre lo biológico y lo específicamente humano, entre la razón y la emoción.

Pero vale la pena aclarar: la coherencia psicológica no significa integridad total y exacta de los componentes, sin la mínima desviación, sin la menor vacilación. La rectitud intachable puede degenerar en psicorigidez, que significa negarse a revisar las propias creencias cuando la realidad nos muestra que estamos equivocados. La coherencia es la tendencia a organizar las partes (pensar, sentir y actuar) en un todo relacionado, correlativo, para hacerla compatible en lo fundamental.

Mariana era una ejecutiva moderna de 33 años, altamente eficiente y exitosa, que había escalado rápidamente hasta ocupar un importante cargo en una empresa de cosméticos. Cuando llegó a mi consultorio reportó dificultades para conciliar el sueño, irritabilidad, dolores musculares y falta de motivación: "No sé como explicarlo... Yo nunca he sido una mujer muy existencial, pero a veces no le encuentro sentido a la vida... ¿Tanto esfuerzo para qué?... Últimamente no creo en la gente... Tengo un novio que quiero mucho y un trabajo que es la envidia de mis amigas... Sin embargo, algo me falta...". Las depresiones existenciales son más comunes de lo que uno cree. Algunos psicólogos no las detectan simplemente porque su encuadre teórico se los prohíbe.

Las entrevistas mostraron que la insatisfacción y la depresión de Mariana estaban relacionadas con una dimensión ética. Durante toda su niñez y parte de su juventud se había educado en un medio familiar de alta sensibilidad social y honestidad, y ahora tenía que enfrentar a diario decisiones que reñían con esos principios.

En el último mes, debido a la política de "recorte de personal" y a rencillas entre empleados, había despedido a seis personas sin estar de acuerdo con ello. Por ejemplo, sabía que uno de los despidos era para entregarle el puesto a la amante del presidente de la compañía, una gerente de marca especialmente favorecida por el hombre. En otra ocasión, asistió a una reunión informativa donde se explicó cómo se investigaban las consecuencias nocivas de los productos en animales y quedó impresionada por la crudeza de las imágenes y la insensibilidad del grupo ante la situación. Un hecho adicional agudizaba su estado de ánimo negativo: en una reunión realizada a puerta cerrada y sólo con personal de confianza votó positivamente una decisión que ocultaba información importante para los consumidores.

Así, poco a poco, fue surgiendo una infinidad de situaciones en las que su manera de actuar no concordaba con lo que pensaba y sentía. En su interior, Mariana sabía que estaba negociando con sus principios. Ella misma consideraba que era especialmente obsecuente con sus superiores y que en muchas ocasiones no opinaba lo que en verdad creía por miedo a perder el puesto.

Con el transcurrir de las sesiones se hizo cada vez más evidente la disociación que existía entre lo que pensaba, sentía y hacía. Un día me dijo: "Ya he logrado identificar mis sentimientos, lo que siento es vergüenza... Soy un fraude...". Cuando asimiló el mensaje que su conciencia le enviaba y finalmente tomó la decisión de ser coherente, renunció a su cargo con toda tranquilidad. Al año había montado su propia empresa de exportaciones.

¿Habrá mayor placer, mejor sensación de bienestar que hacer lo que consideramos justo y adecuado? Lo que va con uno naturalmente, lo que no genera violencia interior. A Mariana no le gustaba ser injusta con la gente, le dolía ver una persona necesitada, adoraba los animales, no aceptaba la explotación ni el tráfico de influencias, no convenía con ningún tipo de discriminación. Sin duda estaba en el lugar equivocado.

Si el pensamiento, la emoción y el comportamiento se oponen entre sí, tu actitud se asemejará a la de una veleta en la mitad del océano: sin norte y sometida a los caprichos del viento. La coherencia te permite tomar el timón, definir un punto de control interno y evitar los contrasentidos elementales.

Los grandes maestros y los sabios muestran una integridad básica que se refleja en el cuerpo y en la manera de relacionarse con el mundo. Verlos vivir es ya una enseñanza, verlos aceptar sus errores, una lección. Coherencia y flexibilidad, la clave de todo crecimiento personal: intentar ser consecuente, pero abierto al cambio.

Aprender a perder

No se nos enseña a perder. El mundo es de los ganadores, de los que nunca se dan por vencidos, de los poderosos. Es una educación antisabiduría que alimenta la idea absurda de que sólo el éxito conduce a la felicidad. Por el contrario, reconocer la derrota y saber aceptarla es señal de inteligencia. Resignarse cuando algo escapa de nuestro control es sabiduría; desprenderse del futuro es trascendencia.

El sabio no espera nada o muy poco, porque esperar casi siempre está relacionado con la ansiedad. Por lo general, deseamos alcanzar lo que "no disfrutamos" y *quisiéramos* gozar más adelante, lo que "no conocemos" y *quisiéramos* conocer, o lo que "no podemos hacer" y *quisiéramos* hacerlo. Es la trampa de la esperanza que se instala en la carencia. Es la terrible sensación de que siempre falta algo.

Spinoza afirmaba en la *Ética*: "No hay esperanza sin temor, y no hay temor sin esperanza".

a. Esperas ansiosamente encontrarte con la mujer o el hombre que amas, ¿no temes que no llegue?

b. Temes que no llegue a la cita, ¿no generas la esperanza de
    que sí lo haga?

El sabio no espera nada, pero no porque ya lo tenga todo,
sino porque no teme perder nada. Séneca[88] cuenta el caso de
un filósofo que vivía en una ciudad que había sido invadida
por el rey Macedonio:

> "Habiendo preguntado al filósofo Estilpón si había perdido algo,
> éste le dijo: 'Nada, conmigo tengo todo lo mío'. Ahora bien, su
> patrimonio se había convertido en botín, el enemigo había rap-
> tado a sus hijas, su patria había caído bajo dominio ajeno y el
> rey, rodeado de las armas de un ejército victorioso, lo interroga-
> ba con tono de superioridad. Pero él le echó la victoria a perder
> y, a pesar de haber sido tomada la ciudad, no sólo se declaró
> invicto sino también indemne. Es que tenía consigo los verda-
> deros bienes a los que no se les puede echar mano…" (pág. 17).

"Conmigo tengo todo lo mío": ¿qué más se puede pedir?
El sabio necesita poco, por eso no espera ni desespera.

¿Pero la esperanza siempre es negativa? No, no siempre. Si
estoy perdido en la mitad del desierto o tengo una enfermedad grave, es posible que la esperanza me mantenga en pie:
una dosis de optimismo moderado nunca viene mal. Pero si,
por ejemplo, me niego a elaborar un duelo o una pérdida
irreparable, la esperanza se convierte en un problema. La testarudez no es una virtud, como no lo es la perseverancia ciega
e irracional. En el caso del duelo, lo mejor es resignarse y
entrar en una "desesperanza saludable": no tengo control so-

bre la situación, *nada qué hacer*. Entonces, ¿esperanza o desesperanza? Ambas, de manera discriminada. A veces hay que esperanzarse y a veces hay que tirar la toalla. ¿Buda o Jesús? Ambos.

Un aspecto importante de la sabiduría, tal como nos lo enseñaron los estoicos, es precisamente aprender a discernir cuándo se justifica y cuándo no, cuándo hay que insistir y cuándo hay que abandonar el campo de batalla, lo que no significa cobardía, sino prudencia. Capacidad de elección para alcanzar la *ataraxia* de los antiguos, la imperturbabilidad. Más concretamente: *esforzarse en lo que depende de uno (si es importante o vale la pena) y renunciar a lo que "no puede desearse" por inconveniente o no "puede lograrse" por exceder las propias capacidades*. Saber perder, saber ganar.

¿Y el ideal de felicidad? No existe. La felicidad, tal como la entendemos en la cultura industrial occidental, es el deseo de sostener el placer indefinidamente, llámese Paraíso o Nirvana. Es la quimera de la alegría eterna, de la no frustración definitiva y del control total. Como resulta obvio, semejante creencia a lo único que puede conducir es a ser esclavos de una felicidad inalcanzable, a una carga más que a un alivio. Una idea más razonable y práctica de la felicidad supone ubicarla en el aquí y en el ahora y despojarla de esa falsa aureola sacrosanta. ¿Qué significa? Estar feliz mientras hago lo que quiero. Desear lo que tengo o lo que hago, mientras lo tengo y lo hago, disfrutar de lo que no me falta[89]. Sin embargo, para mucha gente, vivir el presente es quitarle brillo a la vida. Pascal[90] aclara la cuestión:

"Es que el presente por lo general nos hiere. Lo ocultamos a nuestros ojos porque nos aflige y, si nos es agradable, lamentamos verlo escaparse. Tratamos de retenerlo mediante el futuro y pensamos en disponer las cosas que no están en nuestra mano para una época a la que no tenemos ninguna necesidad de llegar" (fragmento, 27; pág. 80).

Veamos dos situaciones en las que aprender a perder es importante: (a) una relacionada con el dolor y (b) una con el placer.

a) Si no podemos escapar a la adversidad, nos queda Epícteto,[91] "Soporta y abstente", o Epicúreo[92] y su famoso cuadrifármaco, "Dios no se ha de temer, la muerte es insensible, el bien es fácil de procurar, el mal es fácil de soportar". Nada qué hacer, nada qué defender, dejarse llevar por el destino y *aceptar lo peor que pueda ocurrir*. Matar toda esperanza y entregarse sin lamentos plañideros. Cuentan que los nativos americanos, cuando se veían enfrentados a la muerte inminente a manos de los soldados invasores, se limitaban a decir: "Éste es un buen día para morir". A veces la voluntad sobra y es más inteligente seguir los mandatos de la naturaleza. ¿Que nunca hay que darse por vencido? No es cierto; muchas veces *no hay nada qué hacer más que rendirse*. Aquí es donde la máxima estoica cobra sentido: "Vivir según la naturaleza". ¿Pero de cuál naturaleza? *De la que es exclusivamente humana, la que otorga la reflexión ponderada y bien calibrada*.

b) Si el placer se acaba, dejarlo ir. No aferrarse, hacerle el duelo al disfrute, no querer retener lo que ya se fue, lo que terminó pese a nuestras súplicas y buenas intenciones. Hice el amor, comí mi comida favorita, pude ver una buena película y listo. Pero la mente no se consuela, lo retiene y quiere repetir. Necesita volver a sentir el placer e inventa el apego, que no es otra cosa que la incapacidad de retirarse a tiempo. Aprender a perder significa que cuando lo bueno se acabó, se acabó. Conformismo avispado y oportuno, es decir, Buda. Hacer uso de las nobles verdades, entendimiento puro, tolerancia a la frustración en grandes cantidades. Alain de Botton[93] cuenta el increíble caso de un rey llamado Ciro que decidió secar un río porque su caballo se había ahogado en él. Así que dejó a un lado los planes de expandir su imperio e hizo que su ejército se dedicara a la tarea de construir ochenta canales para vaciar el río y "castigarlo" por su insolencia.

No tiene sentido hacerle pataleta a la vida. La creencia irracional que define la baja tolerancia a la frustración es: "Si las cosas no son como me gustaría que fueran, me da rabia". Esta manera de pensar resulta de la mezcla mortífera entre el infantilismo egocéntrico y una irracionalidad extrema. Nos guste o no, somos apenas un suspiro del universo. ¿De dónde proviene semejante petulancia? La modestia puede ser un buen antídoto. Reconocer las propias limitaciones nos aleja del centralismoególatra.

Los estoicos proponían un cálculo racional para evitar el

optimismo ingenuo y fortalecer la responsabilidad moral frente a los actos orientados a buscar placer. Obviamente, no se trataba de reprimir los sentimientos placenteros, sino de evitar aquéllos en los que el balance costo/beneficio arrojara resultados dañinos. Dos máximas de Epicúreo:

"Es mejor soportar algunos determinados dolores para gozar de placeres mayores. Conviene privarse de algunos determinados placeres para no sufrir dolores penosos" (*Testimonios escogidos*, fragmento 34).

Pensemos en lo que nos cuesta renunciar a probar un buen chocolate *ahora* para bajar de peso *después*. Chocolate: bien, placer menor e inmediato. Bajar de peso: bien, placer mayor y diferido.

"Lo justo según la naturaleza es un acuerdo de lo conveniente para no hacerse daño unos a otros ni sufrirlo" (*Máximas capitales*, fragmento 31).

En otras palabras: "haz lo que quieras si no es dañino ni para ti ni para otros". En cierta ocasión un psicólogo enemigo de la autoayuda y el crecimiento personal criticó la frase anterior por simplista, ya que según él sólo reflejaba "lugares comunes" (como si los lugares comunes no tuvieran su propio saber). Cuando le respondí que el "lugar común" correspondía a una de las ideas centrales de Epicúreo, cambió rápidamente de opinión y como por arte de magia descubrió un dejo de "sabiduría oculta" en la frase.

El cálculo estoico es, pues, la capacidad de prever las consecuencias de nuestras acciones. Se trata de saber gozar, sin afectar a nadie. Es aprender a relacionarse con el placer y el dolor de una manera menos patológica, ponderando el autocontrol.

Repito una vez más la máxima rectora, inspirada en el estoicismo: *dirigir la propia vida en lo que depende de uno (sentido, felicidad, autorrealización) y aceptarla tal cual es cuando no depende de uno (enfermedades, muerte, separación), intentando disminuir la cantidad de dolor que de por sí implica el mero hecho de estar vivo*[94].

Cuando te encuentres ante algún acontecimiento difícil, no obres impulsivamente. Tómate tu tiempo y analiza cuidadosamente cuál es la forma más sana de comportarte. Las siguientes preguntas, que son un cruce entre psicología cognitiva y filosofía, pueden servirte como guía antes de tomar decisiones importantes, aunque lo ideal es que puedas crear tu propio cuestionario:

a. ¿Mi vida depende de esto, es vital y esencialmente definitivo para mí o para mis seres queridos hallar una solución?

b. ¿Qué sería lo peor que podría pasar? Y si lo peor ocurriera, ¿podría seguir viviendo dignamente pese a todo?

c. ¿El dolor esperado sería realmente insoportable o podría soportarlo con algunas ayudas?

d. ¿Cómo evaluaría yo este mismo evento dentro de un tiempo? ¿Sería igual de vital e importante?

e. ¿Puedo pensarme a mí mismo en una situación aun peor?

f. ¿Puedo desarrollar una estrategia de afrontamiento que no implique un mal mayor a mediano o largo plazo, o en verdad excede mis capacidades?

g. ¿Debo enfrentarlo de manera activa o debo aceptar lo peor que pudiera sucederme y resignarme a perder con dignidad?

No hay certezas existenciales, no las puede haber sin autoengaño. Por eso hay que habitar la incertidumbre y eliminar la *ilusión de control* que pregona la cultura. Vivir la incertidumbre sanamente es aceptar el juego de lo imprevisible, de ser proceso y no estado. Es bajar la cabeza y guardarse el ego en el bolsillo. Me pregunto: ¿y si nuestro paso por la vida fuera tan sólo construir por construir, hacer por hacer? Levantar edificios, para después destruirlos y nuevamente construirlos, como afirmaba Dostoyevski. ¿Sería muy descabellado pensar que el verdadero sentido de la vida está precisamente en que nunca terminamos la tarea? Constructivismo circular, jugadores de un "juego de nunca acabar": abiertos e indefinidos, siempre incompletos, haciéndonos a cada paso.

Los que logran habitar la incertidumbre la pasan bastante bien porque suelen estar por encima de la ansiedad, entienden que un número considerable de eventos escapará a su control y que por lo tanto habrá intentos inútiles y sin futuro. Habitar la incertidumbre de manera saludable implica convertirse en un aventurero del asombro y ubicarse exactamente en el lugar que la existencia nos propone, es decir, en ningún lado.

Acerca del perdón

El tema del perdón es arduo y complejo, sin embargo, me parece conveniente acercarnos al tema, no sólo por la importancia que cobra el perdón en las condiciones de vida actual del planeta, sino por las implicaciones terapéuticas del mismo en problemas en los que la ira, el rencor y el odio son determinantes, por ejemplo, abuso sexual, maltrato psicológico, violencia intrafamilar y psicopatía.

Preguntas difíciles de responder: ¿Cómo es posible que algunas personas que han sido violentadas en su fuero íntimo de la manera más brutal e ignominiosa puedan dejar a un lado el *yo* maltratado y saltar por encima del más profundo resentimiento (yo agregaría justificado) para llegar al tranquilo valle del perdón y redimir al agresor y liberarse a sí mismos? ¿Es posible alcanzar esta conversión del afecto negativo que compromete tanto al ofendido como al ofensor? ¿Existe algún proceso mental de preparación para que el perdón haga su aparición, o en realidad se trata, tal como sostienen algunos filósofos, de un acto gratuito y espontáneo? ¿Se trata de un fenómeno determinado por el amor o por la cognición? ¿Puedo perdonar con sólo proponérmelo?

1. Qué no es perdonar

La respuesta a estos interrogantes se facilita más si partimos de la negativa, es decir: ¿qué *no* es perdonar? Siguiendo a Comte-Sponville[95] y Jankélévich[96], podemos definir los siguientes "no":

a. Perdonar *no es absolver*. No implica borrar la falta como por arte de magia o hacerla a un lado como si nada hubiera pasado. El hecho queda registrado en la historia y por tal razón el pasado siempre está vivo de alguna manera en la memoria. La absolución total y radical sólo existe en la ilusión de lo sobrenatural, en la visión teológica y religiosa: "Yo te absuelvo" ¿Quién tiene el poder de desvanecer la falta?

b. Como consecuencia de lo anterior, perdonar *no es olvidar*. El perdón no es amnesia, entre otras cosas porque no sería adaptativo borrar al infractor de nuestra base de datos y quedar por ingenuidad en riesgo de un nuevo ataque. ¿Debe el niño olvidar el rostro del abusador que persiste en su afán destructivo? ¿Cómo olvidar al explotador y evitar que vuelva a estafarme? Un punto adicional: si dejáramos de recordar, ¿que pasaría con las víctimas? ¿Deberíamos desterrar Auschwitz o Bosnia-Herzegovina de nuestros recuerdos e irrespetar la memoria de los inmolados? Ninguna víctima merece la indiferencia El silencio en estos casos resulta ser cómplice y un detractor de la conciencia moral necesaria para fijar una posición frente al problema.

c. Perdonar *no es otorgar clemencia,* porque no ejercemos la función de jueces, al menos en la vida normal de relación. No somos quiénes para decidir el tipo de castigo o su intensidad. Se puede odiar sin agredir y se puede castigar sin odiar, como hacen muchos educadores. Además, la clemencia puede llevar implícita cierta arrogancia en tanto implica ponerse por encima del culpable. En realidad, todo el proceso que lleva al perdón debe quedar limpio de superioridad respecto del que solicita el perdón. Si crees que tienes el don de ser clemente y decidir sobre las sanciones de este mundo, necesitas urgente ayuda profesional.

d. Perdonar *no es sentir compasión.* La compasión te solidariza con el dolor de la víctima, es una "virtud afectiva", se trata de sensibilidad, de solidaridad emocional o de contagio, ya que el dolor ajeno nos toca o se refleja a través nuestro. La compasión es un sentimiento democrático, ya que la identificación del sufrimiento es más intensa cuando se realiza entre iguales. Es difícil imaginar el dolor de un famoso astro de Hollywood porque se le dañó el motor del yate o porque se quemó el tapete persa de doscientos mil dólares. Compasión: compartir el dolor. Quizás ayude a facilitar el proceso del perdón, pero no basta para definirlo.

e. Perdonar *no es renunciar a la justicia.* Recuerdo el caso de una señora que descubrió que su marido intentaba esta-

farla en un negocio sucio. Después de meditar varias semanas, me dijo: "Lo he pensado bien y he tomado una
decisión: lo perdono, pero me voy a separar". El acto de
perdonar no entraña que debamos renunciar a defender
nuestros derechos o dejar de luchar por lo que creemos,
más bien se trata de no entrar en el juego del odio. Me
pregunto, por ejemplo, si la labor de Simon Wiesenthal[97]
(un judío sobreviviente de los campos de concentración
nazi) de identificar y capturar criminales de guerra perte-
necientes a la SS estaba motivada más por el odio que por
la justicia. Aparentemente no, porque el odio lo hubiera
matado mucho antes de dar con el primer homicida. Me
pregunto también si lo que mueve a las perseverantes
madres de la Plaza de Mayo, estemos o no de acuerdo con
ellas, es el odio por los golpistas o la necesidad razonada,
imperiosa y vital de recuperar a los suyos: ¿Justicia o venganza? La primera, con seguridad. Dicho de otra forma:
*no odiar no es dejar de combatir, sino enfrentar la situación de
manera serena.* ¿Puedo pelear o defenderme de mis enemigos sin odiarlos? Pienso que sí. De eso se trata el perdón.
No es abdicar a la justicia sino ejercerla sin rencor, sin ira,
sin aberraciones violentas: "Perdono, pero exijo justicia",
no por rencor, sino por principio. Cuando el Papa fue
hasta la cárcel para encontrarse con el individuo que había
intentado asesinarlo y le manifestó su perdón, nunca trató
de eximirlo de su sentencia. Una joven mujer, profundamente enamorada de un hombre infiel, me preguntó en

cierta ocasión: "Yo lo amo, ¿debo perdonarlo?" Mi respuesta fue la siguiente, y en ella me mantengo: "El amor no justifica la violación de su dignidad personal. Él le ha sido infiel en varias ocasiones comprobadas. Pregúntese si eso es negociable para usted, o no. Si lo es, *perdónelo* y continúe en la relación. Si no lo es, *perdónelo* y déjelo para siempre".

2. Qué es perdonar

Perdonar es no odiar, es extinguir el rencor y los deseos de venganza. Es negarse a que el resentimiento siga echando raíces. El psiquiatra cognitivo Beck[98] ubica el odio como un sentimiento más intenso y profundo que la ira. Yo agregaría, más personalizado; aunque vimos que hay gente que puede odiar las cosas inanimadas, como en el caso del rey que quiso secar el río. El odio es una aversión esencial por el otro acompañado por unos fuertes e incontenibles deseos de destruir a la persona. El otro es visto como un enemigo peligroso, maligno y cruel.

3. Las condiciones del perdón

La mayoría de los autores coinciden en que el perdón requiere de ciertas condiciones:

a. Solamente la persona ofendida es quien tiene el derecho a perdonar. Ése es el privilegio de la víctima. El perdón es algo *personal*, en él sólo intervienen los involucrados directos. No puedo perdonar a Hitler a la distancia, como un observador ajeno al dolor del holocausto y sin ser un judío damnificado directamente. Sólo el torturado puede perdonar al torturador, sólo el inmolado puede perdonar a sus verdugos. ¿Habrá mayor presunción en quien cree tener el poder de perdonar a los asesinos de otro?

b. El perdón requiere tiempo. El perdón fácil es sospechoso. Jankélévich afirma:

> "Este apremio de confraternizar con los verdugos, esta reconciliación apresurada constituye una grave indecencia y un insulto para las víctimas" (pág. 211).

¿Cuánto dura el proceso de perdonar? Nadie sabe. Pero sí sabemos que no es inmediato. Hay que sopesar muchas cosas, hay que pensar razones y darle razones al corazón para que decida.

c. El perdón sólo se justifica si existe rencor u odio. Sin tales emociones negativas el perdón sobra o no tiene sentido.

d. ¿Debe arrepentirse el ofensor para que haya perdón? No creo. El arrepentimiento facilita el perdón, sin lugar a dudas, pero no es una condición necesaria y suficiente. Condicionar el perdón al arrepentimiento es asumir una estructura autoritaria del perdón, es la filosofía del *tener* más que del *ser*. Fromm[99] sostenía que tradicionalmente el pecado ha sido relacionado con la desobediencia y su expiación o perdón son el castigo. Sin embargo, desde una perspectiva más humanista, el único y fundamental "pecado" es el egocentrismo. Dicho de otra forma: el pecado universal es todo aquello que afecte el bienestar humano. En sus palabras:

> "En resumen, en el modo del tener, y por ello en una estructura autoritaria, el pecado es desobediente, y se supera con el arrepentimiento, luego el castigo y posteriormente una sumisión renovada. En el modo del ser, en la estructura no autoritaria, el pecado es un alejamiento sin solución, pero se supera con el pleno desarrollo de la razón y el amor y con la unión" (pág. 123).

e. El error se disculpa, la maldad se perdona. "Se disculpa al ignorante, pero se perdona al malvado", dice Jankélévich. Si no hay intención, sólo hay traspié. "Discúlpame" significa: "quítame la culpa". "Te disculpo", quiere decir: "Te entiendo, hay atenuantes, hay excusas justificables, no fue tu intención". ¿Pero qué ocurre si hay "mala voluntad", si ex profeso alguien me hace daño? ¿Cabe la disculpa o se necesita pasar a otro nivel? "Si me hiciste daño a propósito, sólo queda el perdón". ¿Tenemos la obligación moral de perdonar? No creo; más que un deber es un deseo, es el fuero interno el que decide. El perdón, entonces, supone la existencia de una actitud malvada de parte del infractor, es decir, mal intencionada. El filósofo Derrida[100] afirma que el perdón es para lo "imperdonable", para lo inconcebible, para el pecado mortal y no el venial. El perdón es para las atrocidades, para lo innombrable. No necesito el perdón para procesar la llegada tarde de un amigo, pero sí para hacerle frente a su traición y deslealtad, ya sea que me interese mantener su amistad o no.

4. Los caminos del perdón

Mi defensa del perdón obedece más a razones psicológicas que espirituales o religiosas. Desde un punto de vista cognitivo, no sólo es un regalo que le hago al infractor, lo cual puede llegar a ser importante desde una perspectiva humanista, sino es un regalo que me hago a mí mismo, en tanto dejo de sufrir. Perdonar es aliviar la carga que me causa el rencor, es dejar mi corazón libre para que vuelva nuevamente a creer y/o amar, es volver al cause natural. Parecería que no existe sólo un camino que conduzca al perdón. En mi práctica profesional he llegado a identificar cinco procesos básicos, los cuales muchas veces se entremezclan de manera compleja y producen un único fenómeno indiferenciado. Con fines didácticos los presentaré por separado.

El camino del amor

El amor *agápico*, desinteresado, no requiere del perdón para subsanar las heridas psicológicas, porque no alberga rencor. ¿Qué no le perdonarías a un hijo? Más bien, con ellos ocurre al revés: el esfuerzo se concentra en no quitarles el castigo antes de tiempo, en ejecutar la norma porque la sanción nos duele más a nosotros. El amor es el antídoto principal contra el rencor y el odio. Sin embargo, cabe la pregunta: ¿es posible amar al enemigo? He visto casos en que pese a lo terrible de la afrenta, el amor obra como una mampara antirrencor: nada qué procesar, nada qué analizar, sólo el amor que incluye el perdón; dolor sin rencor. ¿Cómo desearle el mal a un hijo que nos roba? ¿Cómo buscar venganza hacia la persona amada? Por desgracia no podemos producir amor a voluntad, ni en la terapia ni en ningún lado. Recuerdo el caso de una mujer de casi setenta años que vivía con un hijo adicto a la cocaína que la maltrataba y le quitaba a la fuerza el poco dinero que tenía. Pese a los intentos míos y de una colega no pudimos hacer que ella lo enfrentara y defendiera sus derechos. No había límites, no existía rabia ni indignación en ella, sólo dolor por verlo sufrir. El autosacrificio era tal que en una cita me dijo: "Vea, doctor, ya no pierda el tiempo conmigo... Mi depresión va a seguir de todas maneras... Si usted espera que enfrente a mi hijo, lo eche a la calle o lo denuncie, el loco es usted. Si pudiera dar la vida por él lo haría... Yo no necesito perdonarlo, ya está perdonado de antemano...". El amor tiene el don de brindar un perdón anticipado y generalizado. Nunca volví a ver a mi paciente, y aunque la teoría me indicaba que la asertividad era la mejor opción, nunca supe si alabar su conducta o censurarla.

El camino de la compasión

Ya dije que compartir el dolor no es perdonar, pero he tratado casos en que de tanto ver sufrir al ofensor, el perdón empieza a gestarse en la víctima. Recuerdo el caso de una mujer joven que durante su infancia su padre había abusado de ella. Se había ido de la casa desde hacía siete años y no había vuelto a tener contacto con él. Sin embargo, las cosas cambiaron cuando el hombre se enfermó de un cáncer linfático. Al principio, debido a la presión de la familia, lo fue a visitar de mala gana, pero con el transcurrir de los días, al ver su sufrimiento, comenzó a sentir pesar por el hombre. Poco a poco la indiferencia se convirtió en compasión y la compasión le fue ablandando el corazón. En sus palabras: "No sé qué decir... Siempre lo había odiado por lo que me hizo, pero cuando lo vi sufrir tanto... No sé, algo me pasó... Nunca hablamos del pasado, yo... ¡Sentía tanto pesar por él!... No era amor, sino lástima... Unos minutos antes de morir cruzamos una mirada y todo quedó claro para nosotros, fue como una exhalación... El odio desapareció... No hubo contacto físico, ni despedida, sólo esa mirada especial... Se fue en paz y yo quedé en paz... No sé qué ocurrió, pero le doy gracias a Dios...". La compasión es una virtud afectiva donde las razones sobran. Cuando se manifiesta, el dolor del otro puede transformarse a sí mismo en perdón.

El camino de la comprensión

Es el preferido de los psicólogos clínicos, sin embargo, hay muchas dudas al respecto. ¿Perdonar es comprender? No necesariamente. Puedo concebir por qué un violador acaba con un niño, explicar su conducta científicamente, argüir razones y atenuantes de todo tipo, y aun así sentir odio por el hombre. Explicar un comportamiento no es justificarlo. Uno no perdona a fuerza de excusar, pero puede ocurrir que el damnificado de tanto ponerse en el lugar del acusado termine por identificarse mentalmente con él. La comprensión puede preparar el camino para que el corazón dé el vuelco, pero no más. Aprestamiento para dar el salto. Jakélévich afirmaba, que además del conocimiento se necesita un impulso agregado, una energía suplementaria, para que el perdón tenga lugar. Aun así, de tanto machacar, de tanto ir y venir por los recuerdos, de tanto intentar explicar lo inexplicable, de tanto ponerse en los zapatos del otro, hay ocasiones en que el perdón asoma como una bendición, más o menos "comprensible".

El camino del desgaste

En los tres puntos anteriores, el proceso estaba centrado en el otro: amar, compadecer o comprender al infractor. En este caso el camino es más autorreferencial. Hay ocasiones en que el desgaste que genera el rencor es tal, que la persona decide perdonar como un acto de supervivencia: "Me cansé de odiar". No hay amor, ni compasión, ni comprensión, sólo cansancio esencial que se revierte sobre sí mismo: *odiar el odio*. Es una decisión de la mente dirigida por el organismo. El odio cansa, enferma e incluso puede enloquecer a quien lo padece. He conocido gente que llevaba más de veinte años planeando una venganza, y no estaban presos.

En el camino del desgaste, el perdón actúa como mecanismo de defensa, un recurso del *yo* sin importar tanto el *tú*: un autorregalo, "Lo hago por mí", "Te perdono porque quiero seguir viviendo". ¿Nunca has sentido una aversión especial por alguien que ni siquiera sospecha lo que sientes? En realidad, el perdón como procesamiento de la información del rencor no requiere de nadie más que de la víctima que lo padece, sea éste justificado o no. Incluso en ocasiones el perdón está dirigido a una persona muerta o ausente, así que no hay retroalimentación de ningún tipo. Con o sin arrepentimiento, con o sin requerimiento del trasgresor, el perdón siempre es un proceso personal.

El camino de la comparación

Es una forma de identificación por lo bajo. "El que esté libre de pecado que tire la primera piedra", nos enseñó Jesús. Existe otra entrada al perdón y es la de compararme con la persona que me causa el daño. ¿Y si me parezco al agresor? ¿Y si la autobservación arroja un saldo negativo? ¿Cómo odiar a quien se me parece sin odiarme a mí mismo? La comparación es un proceso de comprensión pero referido a las similitudes del ofendido con el culpable. El *yo* se involucra de otra manera. El mecanismo de identificación con el agresor no se hace desde el dolor sino desde la semejanza: "¿Cómo no perdonarte si yo hubiera hecho lo mismo?", modestia, humildad, autocrítica. No pensemos en una genocidio, sino en esos pequeños actos de maldad que todos hemos cometido alguna vez. En palabras de Comte-Sponville:

"Puedo perdonar a un ladrón porque he robado (libros en mi juventud). Al mentiroso porque miento. Al egoísta porque lo soy. Al cobarde porque quizás yo también lo sea. Pero, ¿al violador de niños? ¿Al torturador? Cuando la falta supera la medida común, la identificación pierde su fuerza e incluso su plausibilidad" (pág. 123).

Cuando se trata de perdonar, no importa tanto el camino sino el resultado. Puedes elegir el tuyo o al menos identificar dónde estás parado. Tener un esquema positivo sobre el perdón implica estar dispuesto a no dejarse llevar tan fácilmente por el odio y a intentar terminar con el rencor, si ya está instalado. Si asumes que el perdón es un valor, si lo internalizas como una virtud, podrás cultivarlo y relacionarte mejor y más sanamente.

Anexo I

PENSAR BIEN:
APLICACIONES PRÁCTICAS
DE LA PARTE I

Señalaré cuatro principios que pueden facilitar el desmonte del egocentrismo mental, incrementar el autoconocimiento y modificar los sesgos cognitivos (haciendo hincapié en que algunos esquemas patológicos sólo son modificables con ayuda profesional):

1. *Tomar conciencia de que el cambio es importante*
2. *Lentificar los procesos mentales e identificarlos*
3. *Reordenar la experiencia alrededor de una creencia negativa*
4. *Atacar las distorsiones*

1. Tomar conciencia de que el cambio es importante

El psicólogo clínico Albert Ellis[101] afirmaba:

> "A menos que sus clientes crean firmemente que pueden cambiar y que esa mejoría puede durar, lo más seguro es que no intenten conseguir una mejoría" (pág. 214).

- Hay que estar comprometido con el proceso del cambio y desearlo desde lo más profundo. Estar consciente de que cualquier transformación supone una dosis de esfuerzo e incomodidad: renunciar al principio del placer *ahora* para obtener un beneficio mayor *después*. Benjamín Franklin decía: "No hay beneficios sin suplicios". Sin irnos al extremo del masoquismo o el ascetismo crónico, la vida nos enseña que la mayoría de nuestros logros perdurables han sido producto del trabajo y la entrega a un proyecto que consideramos vital (criar un hijo, estudiar en la universidad, desarrollar una destreza deportiva). ¿Disciplina? No cabe duda, pero también motivación.

Sentir que el cambio es necesario y que será útil. Que a mediano plazo lo nuevo será mejor que lo viejo. Me dirás que no eres capaz, que ya lo has intentado, que es muy difícil, en fin, mostrarás cien evasivas. Te pregunto: si la vida de tus hijos dependieran de que vencieras el peor de tus miedos y te dieran unas cuantas horas para lograrlo, ¿no lo dominarías? ¡Por supuesto que sí! ¡No te darías por vencido jamás! Hasta el último suspiro de tu existencia estaría involucrado en alcanzar la meta. Serías tozudo, persistente y valiente. Lo que quiero mostrarte es que *sí* tienes la capacidad para el cambio.

Si aceptas que tu mente debe cambiar, es porque ya no quieres vivir con la mierda hasta el cuello y porque te cansaste de ser un "tonto feliz" rodeado de ignorancia. La gente que decide cambiar de verdad produce revuelo a su alrededor: los amigos se asombran, los conocidos murmuran y los enemigos se mueren de la envidia.

Para cambiar hay que tener "fuerza de voluntad". Persistir en la racionalidad, enfrentar el miedo a lo desconocido, no escapar ante el primer obstáculo y no perder de vista las ventajas de lo nuevo. Para cambiar hay que ser serio, en el sentido de "hablar en serio", de comprometerse con uno mismo desde lo esencial.

Según Ellis, el poder de la fuerza de la voluntad incluye:

a) Determinación para cambiar

b) Conocimiento acerca de cómo cambiar

c) Ponerse en acción

d) Persistir en esta acción, incluso cuando es difícil de sobrellevar

Si no cambias, te cambian, ésa es la lógica del progreso. Si te quedas petrificado en la costumbre, la historia te pasa por encima. Está demostrado que los que se resisten al cambio suelen terminar aplastados por la contundencia de los hechos.

Comte-Sponville[102] en su *Diccionario filosófico* dice al respecto:

"En un mundo en el que todo cambia, la inmutabilidad sería imposible o mortífera. Un país, un partido o una empresa sólo pueden conservarse con la condición de una adaptación permanente. Un individuo no puede seguir siendo él mismo si no evoluciona, aunque sea a regañadientes o lo mínimo posible. Vivir es crecer o envejecer, dos maneras de cambiar. En honor a Heráclito: todo cambia, todo fluye, lo único que permanece es el devenir universal" (pág. 91).

2. Lentificar los procesos e identificarlos

Una vez que hayas aceptado y asumido el compromiso del cambio, debes aprender a identificar los sesgos antes mencionados (sesgos atencionales, sesgos de memoria, sesgos perceptuales, profecías autorrealizadas y estrategias evitativas y/o compensatorias). Debes tratar de observarlos sin modificarlos aún, sólo intenta aproximarte a ellos para verlos en acción.[103, 104]

- La propuesta es hacer que tu mente vaya más despacio para que puedas ver tu propio desempeño mental, como un relojero que revisa los dispositivos del reloj, minuciosa y atentamente, con paciencia. Puedes empezar por decretar semanas de observación: la semana de la atención, de la memoria, de la percepción, de la profecía autorrealizada y de la evitación. Puedes repetir el ciclo o quedarte más tiempo en un proceso que en otro.

- Recuerda que la idea en esta fase de reconocimiento no es la modificación de los procesos mentales. Si la mente detecta que deseas modificar sus mecanismos de defensa, ofrecerá resistencia. Así que hay que andar con mucho cuidado y ser un observador sigiloso. En esta etapa lo importante es *aprender a ver cómo tu mente juega al autoengaño.*

- Haz de cuenta que eres un antropólogo que pretende adentrarse en una comunidad primitiva desconocida y altamente desconfiada. Quieres ser un observador participante y totalmente objetivo, pero tu presencia ahuyenta a los nativos y hace que no se comporten de manera natural.

Pero es probable que con el tiempo la población se acostumbre a tu presencia y comience a actuar como si no estuvieras allí. No significa que te hayan aceptado, sino que se han habituado a tu presencia, ya formas parte del paisaje. Sólo en ese momento, cuando te fundes con el ambiente, dejarás de ser un extraño. Trata de verte a ti mismo como un antropólogo explorando una porción desconocida de su ser. Harás un viaje hacia un área de tu mente donde tus propios pensamientos te considerarán un invasor. No obstante, con el pasar de las horas y los días, es probable que la resistencia mental disminuya y comiences a navegar libremente por tu base de datos.

3. Reordenar la experiencia alrededor de una creencia negativa

Escoge una creencia negativa cualquiera que te haga sentir mal y luego observa cómo la mente hace lo imposible por protegerla y alimentarla. Tu herramienta de trabajo será la autobservación. Puedes seguir los siguientes pasos:

1. ¿Qué evento externo disparó mi malestar?
2. ¿Qué pasó por mi mente?
3. ¿Por qué llegué a esta conclusión? ¿Utilicé algún sesgo atencional, de percepción o de memoria?
4. ¿Que hice luego? ¿Cómo respondí a la situación? ¿Utilicé profecías autorrealizadas? ¿Utilicé estrategias evitativas o compensatorias?

Las preguntas se pueden responder en cualquier orden, aunque por lo general las personas tienden a seguir los pasos que he señalado.

Caso

Esperanza era una atractiva mujer de 32 años con un *esquema de desconfianza* hacia el sexo opuesto. Su idea era que lo único que les interesaba a los hombres era acostarse con ella y utilizarla: "Los hombres sólo buscan el sexo, lo que quieren es aprovecharse de mí". Obviamente, esta manera de pensar la mantenía a la defensiva todo el tiempo.

Le sugerí que observara su manera de relacionarse con los hombres y tratara de ordenar la experiencia tomando como guía las preguntas señaladas. Ella decidió hacer la tarea con un compañero de trabajo al cual consideraba "morboso" y mal intencionado. Reproduzco parte de una entrevista:

Terapeuta:	Veo que hiciste la tarea
Esperanza:	Sí, no fue fácil pero logré detectar algunas cosas.
Terapeuta:	Recuerda que nuestro objetivo terapéutico es comprender cómo tu mente defiende y mantiene una idea determinada. En este caso, la creencia de que tu compañero de trabajo busca de alguna forma aprovecharse sexualmente de las mujeres, tú incluida.
Esperanza:	Sí, eso es… Veamos, aquí tengo unas observaciones… Estábamos en la cafetería a la hora del almuerzo y se sentó a mi lado, muy cerca de mí.

Ése fue el evento que disparó mi malestar... Yo pensé:"¿Por qué se acerca tanto a mí habiendo más espacio?"... Creo que aquí hay un *sesgo perceptivo*...

Terapeuta: Así es. Pongámoslo a prueba: ¿intentó tocarte, fue incorrecto en algún sentido?

Esperanza: No, no hizo nada. Incluso cuando su pierna rozó la mía, me pidió disculpas y se corrió un poco...

Terapeuta: ¿Qué más descubriste durante tu observación?

Esperanza: Estuve todo el tiempo pendiente de lo que él hablaba, pero... No fui muy objetiva... Prácticamente conté las palabras y los comentarios que hacía sobre temas sexuales... Estuve pendiente de cada gesto insinuante que él hacía... Aquí hay un *sesgo atencional*, es obvio, me concentré en lo que quería demostrar... Cuando me miraba, me parecía que era libidinoso... Creo que hago esto todo el tiempo con todos los hombres que se me acercan...

Terapeuta: ¿En qué sentido era libidinoso? ¿Qué hacía exactamente?

Esperanza: No sé, no tengo forma de asegurarlo... Creo que a veces me miraba los senos...

Terapeuta: ¿Estás segura?

Esperanza: Bueno, ya no sé en realidad... Desde que usted me explicó lo que son los sesgos y las distorsiones cognoscitivas, ya no sé...

Terapeuta: Quizás muchos hombres desvíen su mirada hacia unos senos bonitos o unas piernas bien formadas, pero no creo que deba interpretarse esta conducta como agresiva o grosera, aunque entiendo que algunas miradas puedan ser provocadoras o irrespetuosas… ¿Lo eran?…

Esperanza: No, no estoy tan segura…

Terapeuta: ¿Hubo sesgos de memoria? ¿Tus recuerdos alimentaron la creencia de que él era un pervertido en potencia?

Esperanza: En ese momento no, pero después, cuando ya estaba en mi oficina, sí. Recordé durante toda la tarde situaciones incómodas en las que me sentí acosada, bueno… más bien deseada por hombres que no me interesaban… Y claro, lo asociaba a él…

Terapeuta: Muy bien, lo hiciste muy bien. Como te habrás dado cuenta, tu mente tiene todo un montaje autoconfirmatorio para mantener activada la creencia negativa de que los hombres te acosan: atención, memoria y percepción al servicio del esquema. Eso es lo que hay que desmontar, pero ya comenzaste a hacerlo.

Otras observaciones posteriores mostraron que cuando iba a salir con algún nuevo pretendiente se "preparaba negativamente": no sólo "recordaba" eventos desagradables sino que adoptaba una pose antipática (estrategia compensatoria) y en ocasiones ella misma provocaba que el sujeto terminara hablando de sexo (profecía autorrealizada).

¿Qué logró Esperanza al reordenar la experiencia alrededor de una creencia negativa y aplicar la autobservación? Varias cosas: (a) tomar conciencia de cómo funcionaban sus estrategias de autoperpetuación, (b) desarrollar la sana costumbre de autobservarse en acción, y (c) integrar información de sí misma que hasta entonces estaba dispersa. "Darse cuenta" de cómo los sesgos mantienen los esquemas negativos, es el comienzo de todo cambio. Es cuestión de aprendizaje y práctica, de costumbre, de calibrar la mente para volverla sensible a las variaciones internas y externas.

En algunas oportunidades las personas no necesitan de tantas guías y el cambio se genera a partir de una curiosa mezcla entre razón y emoción. He visto casos en que la trasformación es inmediata. Krishnamurti[105] lo explica así:

> "El intelecto tiene su lugar, pero cuando examinamos algo muy, pero muy seriamente, el corazón debe intervenir en esa consideración. Es cuando interviene el corazón que hay amor para observar, para mirar, para ver; entonces cuando uno ve la verdad del deseo, del tiempo y del pensamiento, el miedo no existe en absoluto. Entonces sólo puede haber amor" (pág. 171).

4. Atacar las distorsiones

Si has sido capaz de llegar hasta aquí y superar el apartado anterior, es el momento de enfrentar las distorsiones responsables de tu malestar.

Atacar y calibrar los sesgos atencionales

Para vencer los sesgos hay que equilibrar la información que procesamos. Por ejemplo, si descubres que tienes un sesgo atencional, debes tratar de analizar las situaciones de manera total, sin dejar por fuera los datos que no te gustan o no te convienen. Si no lo haces, tus conclusiones estarán equivocadas[106,107]. De no ser así, terminarás viendo solamente lo que *quieres ver* y no lo que *es*[108].

Entonces cada vez que concentres tu atención en algún evento que confirme tus creencias, *deliberadamente* intenta abarcar *todo* el conjunto de los hechos. Por ejemplo, si percibes que en una reunión alguien te mira de manera despectiva, no te apresures en tus conclusiones. Puedes intentar dos estrategias:

1. Tómate un tiempo para razonar de manera consciente y observa si el sujeto en cuestión vuelve a mirarte despectivamente (es posible que la supuesta señal de rechazo no se repita).

2. Presta atención a cómo se relaciona ese individuo con los demás, es decir, si es antipático o amable con todo su entorno (necesitas saber si las miradas que te dirige son consecuencia de su "manera de ser" o si por el contrario el problema realmente es contigo).

La clave es *balancear la información y ver todo, lo que te conviene y lo que no te conviene, lo que te gusta y lo que te disgusta.*

Atacar y calibrar los sesgos de memoria

A veces la memoria nos impide ver las cosas como son. Muchas de nuestras decisiones las tomamos con lo primero que recordamos, así la realidad muestre otra cosa[109,110]. Para rescatar los elementos más objetivos de tu pasado puedes utilizar dos métodos: el enfriamiento y la autobservación hacia atrás.

El *enfriamiento* consiste en no dejarte llevar impulsivamente por el primer material que te llegue a la mente. Por ejemplo, si a un amigo le roban el automóvil en determinada zona de la ciudad, es probable que ese hecho afecte mi determinación de no transitar por el lugar donde sucedió el incidente. Si alguien me invita, posteriormente, a pasear por esa supuesta "zona insegura", posiblemente me niegue, porque vendrá a mi memoria el recuerdo cargado de emoción negativa de lo que le ocurrió a mi amigo. Mi decisión estará sesgada por el *último acontecimiento recordado*. Así me demuestren con datos estadísticos que el sitio que considero peligroso en realidad es seguro, le creeré más a mi memoria.

Es saludable hacer un alto, quedarse unos instantes en la incertidumbre y aceptar la información contradictoria. Cabeza fría y dudar de la intuición. Enfriar el sistema. De una anécdota no puede inferirse una ley general, tal como veremos en la segunda parte del libro.

La **autobservación hacia atrás** es recordar tanto los eventos negativos como los positivos almacenados en la memoria. Obviamente es mucho más difícil que cualquier otra observación porque la información que tienes guardada sufre alteraciones con el tiempo. Aun así, vale la pena hacer el esfuerzo. Entonces cada vez que recuerdes un evento negativo que alimente un esquema maladaptativo, oblígate a evocar un recuerdo positivo que lo compense. Puedes dividir una hoja en dos: a la izquierda anotas los malos recuerdos e *inmediatamente* después procuras recordar algún evento positivo que lo equilibre.

Por ejemplo, si te viene a la cabeza el recuerdo de alguien que te ha despreciado o no te quiere, detén el pensamiento de manera enérgica (¡*Stop*!) y de inmediato trata de recuperar de tu memoria alguna persona que te haya querido mucho. Si no encuentras a nadie, vuelve a intentarlo. Es prácticamente imposible que nadie te haya querido jamás.

Recuerda: no se trata de construir consolaciones idealistas e ingenuas, porque sería otra forma de autoengaño, sino de crear la costumbre de andar por el camino del medio.

Atacar y calibrar los sesgos preceptuales

Existen, al menos, dos formas de que nuestras percepciones de los hechos sean más exactas: *verificación* y *explicaciones alternativas*[111,112].

Una de las razones más frecuentes que nos llevan a realizar interpretaciones erróneas es el apresuramiento o el uso indiscriminado de la intuición emocional. Si bien la emoción es importante para la vida, no debemos exagerar su uso ni beatificarla: la inteligencia racional es tan importante como la inteligencia emocional. Aunque el postmodernismo ha intentado hundir la razón y devaluarla, pienso que cualquiera de los extremos es nocivo: es tan peligroso Kant llevado al extremo (la lógica del deber por encima del amor) como la Nueva Era llevada al extremo (superstición e irracionalidad sin control).

La **verificación** es importante porque te obliga a repensar las cosas. Antes de llegar a una conclusión definitiva sobre algún tema significativo para ti o para otro, vuelve atrás y verifica la premisa de la cual partiste. Revisa y repasa. Cuanto más practiques la *exploración verificativa*, más automático se volverá el procedimiento. Llegará un momento en que lo hagas casi sin darte cuenta. A excepción de los casos límite, en los que no es conveniente pensar demasiado (si camino por una calle oscura y veo a alguien que me parece sospechoso es mejor correr y luego preguntar o verificar), en la vida cotidiana la mayoría de las decisiones que tomamos permiten la revisión y el repaso mental antes de actuar.

Las **explicaciones alternativas** te permiten abrir la mente a otras opciones y posibilidades. Supongamos que no creo en mis capacidades y me va mal en un examen de la universidad. Podría interpretar este hecho de dos maneras: (a) de manera confirmatoria con el esquema negativo de incompetencia: "Esto comprueba que soy un incapaz", o (b) buscando otras *explicaciones alternativas* más benévolas y menos autodestructivas: "El examen estuvo difícil" o "No estudié lo suficiente". En otro ejemplo: si estoy esperando una llamada de alguien que me interesa y no llama, podría interpretar la cuestión: (a) negativamente: "No le intereso para nada", o (b) positivamente: "Es posible que haya tenido algún problema que le impidió hacer la llamada". Antes de llegar a una conclusión definitiva, sería mejor esperar un tiempo prudencial y tratar de verificar si tuvo algún contratiempo o si *realmente* no quiso llamarme. Una percepción adecuada requiere de paciencia.

¿A quién no le ha pasado alguna vez que la realidad pone a tambalear la más sólida de nuestras creencias? ¿Cuántas "certezas" se han visto derrumbadas en un instante ante una evidencia contundente o una explicación alternativa más lógica y racional que ni siquiera habíamos imaginado? Una percepción realista siempre se atiene a la duda razonable.

Atacar las profecías autorrealizadas

La mayoría de las profecías autorrealizadas no son ejecutadas de manera consciente, por eso enfrentarlas no es tarea fácil. Cuando estés frente a un problema que se mantiene pese a tus intentos por solucionarlo, hazte tres preguntas: (a) ¿Qué hago yo para que esto sea así? (b) ¿He influido en los resultados negativos? (c) ¿Estoy haciendo trampa?

Un buen método es autobservar todo el proceso, desde que se inicia hasta que se cierra sobre sí mismo. A modo de ejemplo práctico, te propongo cinco pasos para que analices si estas utilizando o no profecías autorrealizadas. Expondré el caso de Jorge, un paciente que pensaba que su jefe no lo estimaba.

A.   ¿Cuál es mi profecía o hipótesis frente a la persona en cuestión? (Escríbela lo más objetivamente posible.)

Jorge: *"No le caigo bien a mi jefe, él es más amable y cordial con los demás".*

B.   ¿Cómo me comporto con esa persona? ¿Estoy preveni-
     do? ¿Doy por sentada la hipótesis? ¿Si me comportara de
     otra manera, que ocurriría? (Escribe lo que haces frente
     a ella, exactamente y sin autoengaños.)

     Jorge: *"Soy distante con él. Nunca me acerco a su oficina. Nun-
     ca le pregunto por su familia o por su vida. Su madre
     estuvo enferma y no le dije nada. Soy muy poco espon-
     táneo cuando estoy con él".*

C.   ¿La conducta de la persona que me produce malestar
     está relacionada con mi *actitud* hacia ella? ¿He influido de
     alguna manera en sus respuestas? ¿Cómo es esta persona
     con los demás? ¿Qué *impresión* tendrá de mí? ¿Será *que
     piensa de mí* lo mismo que yo pienso de ella? (Escribe si
     crees que existe relación entre tu actitud y la respuesta
     del sujeto en cuestión, y cuál es.)

     Jorge: *"Creo que él es más amable con los demás porque ellos
     son más amables con él. Me debe ver como poco interesa-
     do en sus cosas o como muy distante… Yo lo veo igual…
     Pienso que mi conducta sí influye en el trato que tiene
     hacia mí… Él es más accesible con los que son accesibles
     con él…".*

D.   ¿Mi profecía se cumple? Si es así, ¿es independiente de
     mi influencia? ¿Si yo hubiera actuado de otra manera el
     resultado sería distinto? (Escribe si la hipótesis se cum-
     plió y qué tanto tuviste que ver en ese resultado.)

Jorge: *"Sí. Mi profecía se cumple. No es limpia, yo hago que sea así, aunque no quiero que sea así, no sé por qué lo hago... Si yo fuera como los demás, es probable que nuestra relación sería mejor...".*

E.   Leer y releer todo lo escrito y llegar a una conclusión racional: ¿qué debo hacer? ¿Qué comportamiento debo cambiar? ¿Qué espero que ocurra de manera realista y racional?

Jorge: *"Lo voy a intentar, voy a ser más amigable, de manera objetiva y realista; voy a cambiar mi comportamiento... Es probable que al principio él no muestre un acercamiento, porque mi nueva actitud lo sorprenderá un poco, pero con el tiempo quizás se adapte... Pero si pese a mi intento él sigue igual, entonces la hipótesis de que le caigo mal cobrará fuerza y veré qué hago...".*

El ejercicio le permitió a Jorge modificar muchos de sus comportamientos negativos. Sin embargo, pese al cambio, el jefe siguió con la misma actitud lejana y poco comunicativa. Entonces se le propuso que hablara directamente con él y le expresara de manera asertiva lo que pensaba (es más fácil hacerlo, si uno está seguro de no estar utilizando profecías autorrealizadas). La respuesta del jefe fue reveladora: "En realidad no tengo nada contra usted... Me parece un buen colaborador... Yo me adapto a mis subalternos y trato de respetar la manera de ser de cada uno... Usted siempre se ha mostrado como una persona introvertida y reservada, así que opté por acomodarme a su estilo para no incomodarlo...". No cabe duda, construimos nuestro propio nicho y a la larga somos los principales responsables de muchas de las cosas que nos ocurren.

Las profecías deben desmantelarse para que la realidad se manifieste, así no nos guste el resultado. Pero si aún quedan dudas, el enfrentamiento directo y valiente suele ser una buena opción, lo que nos ubica en el siguiente punto.

Atacar las estrategias evitativas/protectoras

No hay una mejor manera de atacar la evitación/protección que exponerse, arriesgarse y aguantar la incomodidad del enfrentamiento. Siempre me ha llamado la atención cómo algunos pacientes prefieren seguir en el *dolor de la enfermedad* a tener que soportar el *dolor del cambio*.

Te sugiero tres puntos de reflexión antes de que intentes ponerle el pecho a lo temido.

Acepta lo peor que podría pasar. Obviamente, si tu vida no está en juego, a veces hay que entregarse a la divina providencia (versión católica) y/o al universo (versión oriental). Desdramatizar las situaciones y dejar que la vida obre con su sabiduría. ¿Sabes qué dicen la mayoría de las personas que han decidido enfrentar sus miedos luego de su primer intento?: "No fue tan horrible". Eres más valiente de lo que crees. ¿Nunca has estado en una situación difícil donde te hayas sorprendido por tu conducta "valerosa"? Nadie es tan cobarde y menos cuando la felicidad personal o la de los seres queridos está en juego. Aceptar lo peor que podría ocurrir es un medio para desenmascarar el problema y dejarlo a punto. Si acepto lo peor, ya no necesito protegerme, no necesito el autoengaño porque estoy dispuesto y expuesto.

Siente el miedo, poco a poco. La evitación te vuelve intolerante a la adrenalina. Tus umbrales bajan y magnificas el temor apenas éste se insinúa. Al escapar impides que el organismo se habitúe a la emoción del miedo. No digo que debas convertirte en un faquir de tercera, lo que te propongo es incrementar la resistencia. La próxima vez que el miedo asome, no lo evites de inmediato, déjalo unos segundos con la plena conciencia de que es incómodo, pero no mortal. Rétalo. Acepta esos instantes con un dejo de dignidad: "Este *round* lo voy a ganar yo". Acércate a la experiencia con curiosidad, a la hora de la verdad son sólo unos segundos. No dejes que el miedo decida por ti. Juega con él, revierte el proceso. Siéntelo, deja que te atraviese con libertad. Poco a poco irás sacando callo, tus umbrales sensoriales subirán y te volverás menos hipersensible a la adrenalina. Permanece en el lugar un rato y ten presente que el afrontamiento es una oportunidad para desactivar y modificar tus esquemas negativos.

Ventajas y desventajas. Ante un león hambriento, nadie dudaría que escapar es una de las mejores estrategias de supervivencia. Las ventajas son obvias. Pero si el león es de peluche, la cuestión cambia. Nadie consideraría ventajoso o productivo salir corriendo ante un animal hecho de felpa. Decimos que un miedo es irracional cuando el peligro no es objetivo o es desproporcionado. Entonces, las ventajas y desventajas de evitar o protegerse varían dependiendo de si estamos frente a un miedo racional o no. Cuando la evitación/protección trabaja al servicio de una creencia irracional o un esquema maladaptativo, las desventajas son mayores que las ventajas. Cada vez que evitas: (a) *pierdes la posibilidad de desconfirmar y eliminar la creencia responsable de tu malestar*, (b) refuerzas el miedo, (c) la resistencia al cambio crece, (d) tu autoestima baja sustancialmente, (e) tu inseguridad se incrementa, (f) bloqueas tu potencial humano e inhibes tus fortalezas ¿No son suficientes motivos para hacerle frente a lo que temes y aceptar el cambio?

Recuerda: si evitas, puede que a corto plazo sientas alivio, pero a mediano o largo plazo sólo robustecerás los esquemas responsables del sufrimiento. ¿Qué prefieres?

Anexo II

PENSAR BIEN: APLICACIONES PRÁCTICAS DE LA PARTE II

Aunque existen muchas técnicas para modificar pensamientos, solamente señalaré algunas de ellas. Mi objetivo aquí no es hacer un repaso exhaustivo de ellas, sino mostrar su utilidad y dejar en claro que sí es posible vencer los pensamientos negativos responsables de nuestro sufrimiento.

1. Registro y autobservación

Cuando tu comportamiento sea inadecuado o sientas malestar emocional, intenta identificar el pensamiento responsable. Pregúntate: "¿Qué pasó por mi mente?", y una vez lo identifiques ubícalo en el contexto donde tuvo lugar: la *emoción perturbadora* ("¿Qué sentí?"), el *ambiente* ("¿Qué pasó antes?" y "¿Qué pasó después"?) y el *comportamiento manifiesto* ("¿Qué hice o cuál fue mi comportamiento"?).

Estas cinco preguntas te servirán de guía.

1. ¿Qué ocurrió inmediatamente antes de que el pensamiento tuviera lugar o qué lo disparó?

   Por ejemplo: "Me rechazaron", "Me ignoraron", "Me hicieron esperar", "Me atacaron", "Me equivoqué".

2. ¿Qué pasó por mi mente?

   Por ejemplo: "Nadie me quiere", "Soy un tonto", "Soy un fracasado", "Soy débil".

3. ¿Qué sentí después del pensamiento?

    Por ejemplo: "Estoy triste", "Tengo miedo", "Me siento frustrado", "Siento una rabia incontenible"

4. ¿Qué hice o cuál fue mi comportamiento posterior al pensamiento?

    Por ejemplo: "Me humillé", "Grité, insulté", "Me alejé", "Pedí disculpas".

5. ¿Qué pasó después de mi comportamiento?

    Por ejemplo: "La persona que me rechazó se alejó ofendida", "Me ignoró", "Me agredió físicamente".

Repito: si quieres cambiar tu manera de pensar, el primer paso es observar el pensamiento e identificar la relación que él establece con todo el conjunto de hechos que lo rodean.

Veamos el caso real de una mujer que estaba convencida de que su marido no la quería y la iba a dejar:

1. ¿Qué ocurrió antes o qué disparó el pensamiento?: *"Mi pareja me ignoró en una comida cuando estábamos con otros amigos"*.

2. ¿Qué pasó por mi mente?: *"No me quiere lo suficiente", "Lo hace para mortificarme"*.

3. ¿Qué sentí después del pensamiento?: *"Me siento rechazada, triste, abandonada"*.

4. ¿Qué hice o cuál fue mi comportamiento posterior?: *"Actué como si no me importara, lo ignoré y fui indiferente"*.

5. ¿Qué pasó después de mi comportamiento?: *"Mi pareja se me acercó y me preguntó qué me pasaba, me rogó un poco y nos contentamos"*.

Utilizando la guía de autoobservación, el pensamiento, quedó identificado y contextualizado. Lo hemos puesto en la mira y podemos confrontarlo si es necesario. En el ejemplo señalado, es claro que la exigencia de la señora era irracional, ya que es imposible que *su pareja esté exclusivamente pendiente de ella durante todo el tiempo que dure la reunión social.*

El pensamiento erróneo ("No me quiere lo suficiente" o "Lo hace para mortificarme") dispara una emoción perturbadora de abandono y un comportamiento de manipulación emocional (ignorar a su pareja) que se ve reforzado por la actitud del hombre, quien le pide perdón y es especialmente cariñoso con ella tratando de compensar el supuesto agravio. Una relación así, con el tiempo, se convierte en un verdadero infierno, repleto de manipulaciones y culpas de todo tipo.

2. El debate racional/cognitivo

El principal recurso para atacar los pensamientos negativos es la **disputa verbal**, que implica poner en duda el pensamiento negativo y luego reemplazarlo por otro más aterrizado, racional o adaptativo.

El análisis que hagas para atacar los pensamientos debe tener en cuenta, al menos, tres aspectos:

1. La **evidencia empírica del pensamiento**, es decir, *si hay hechos que lo avalen* o si sólo es cuestión de imaginación o "sentimientos".[113]

2. La **consistencia lógica del pensamiento**, es decir, si la conclusión ha sido razonable y razonada (consistente) y/o si es posible obtener otras explicaciones alternativas de igual valor.

3. Los **efectos pragmáticos del pensamiento**, es decir, las consecuencias que la manera de pensar tiene o tendrá sobre nuestra vida (ventajas y desventajas).

Tu mente nunca está silenciosa. Si el parloteo es negativo te sentirás mal, si es positivo, te sentirás bien, por eso lo que propongo *no es acallar la mente, sino encauzarla.* Discutir, cuestionar, establecer una disputa amistosa en la que no tragues entero y dejes a un lado el autoengaño o el convencimiento superficial. En otras palabras: ser un poco más escéptico frente a tus conclusiones. Cuestiónate: "¿Realmente estoy en lo cierto?"

Obviamente, no se trata de que pierdas confianza en ti mismo y empieces a preguntarte por todo, sino que cuando un pensamiento te haga sentir mal, lo repases, lo investigues y lo examines en profundidad. "Inquirir" significa preguntarse, cuestionarse, averiguar. Los datos son contundentes: las personas que se revisan a sí mismas y se actualizan viven mejor.

El debate empírico

La pregunta clave que debes hacerte en este debate es: "¿La evidencia de que dispongo apoya o contradice mi pensamiento?

Caso

Pablo era un joven ejecutivo al que le daba miedo a hablar en público. Reseño parte de una entrevista donde se aplicó el debate empírico:

Pablo: Temo equivocarme y hacer el ridículo... Pienso en eso y me horrorizo...

Terapeuta: ¿Puedes ponerlo en términos de pensamientos?

Pablo: "Lo voy a hacer mal, me voy a equivocar, seré el hazme reír de todos".

Terapeuta: De las veces que has hablado en público, ¿cuántas fuiste el "hazme reír"?

Pablo: No recuerdo...

Terapeuta: Trata de hacer memoria, ¿una, dos, tres veces...?

Pablo: (silencio) Bueno, en realidad nunca he hecho el ridículo hablando en público... Nunca ha pasado...

Terapeuta: Trata de responderme estas preguntas: ¿Cuáles son las evidencias que tienes para pensar que te va a ir mal? ¿En qué te fundamentas? ¿Tienes problemas de dicción? ¿No sabes el tema? ¿El auditorio es especialmente crítico? ¿Eres víctima de algún boicot?

Pablo: No, no, no hay nada de eso… Sólo que *siento* que la gente se va a burlar…

Terapeuta: ¿Consideras que tu sentimiento es un dato del que te puedas fiar? ¿Qué opinarías si un cirujano te operara dejándose llevar por su intuición más que por las ayudas tecnológicas?

Pablo: ¡No me dejaría operar!

Terapeuta: Así es. Como puedes ver, los hechos no apoyan tus pensamientos anticipatorios; parece que sólo son producto de una imaginación afectada por la ansiedad.

Pablo: No sé qué hacer…

Terapeuta: Lo primero es oponerte al pensamiento irracional y quitarle piso. Piensa que no hay hechos que sustenten tus pronósticos negativos. No hay evidencia disponible que pueda hacernos pensar que vas a fracasar. Tienes las habilidades, nunca te ha ido mal, manejas el tema, las veces que has tenido anticipaciones catastróficas similares no se han cumplido, los asistentes no son especialmente críticos, en fin, tu pensamiento no está sustentado en los hechos.

Pablo: ¿Pero… y si me fuera mal…?

Terapeuta: Es una probabilidad remota, como si chocaras dos veces tu automóvil en el mismo día y con la misma persona. Pero si aun así ocurriera lo improbable, sería una causa tan fortuita que valdría la pena estudiarla en otra cita y ponerle correctivo.

Pablo grabó toda la cita y escuchó el *debate empírico* en su casa varias veces. Con este procedimiento pudo quitarle fuerza al pensamiento negativo y reemplazarlo por uno más racional: "Es muy poco probable que la pesadilla se cumpla. Toda la evidencia disponible hace pensar que no. No puedo considerar mi sentir como un dato relevante que fundamente mi pensamiento, eso es lo que he hecho gran parte de mi vida y no me ha dado resultado Y si acaso ocurriera algo desagradable, hubiera sido imposible predecirlo". Como tantas otras veces su conferencia fue muy bien catalogada.

Cuando buscas activamente la evidencia que sustenta un pensamiento, estás teniendo una actitud valiente y no sumisa frente a la mente. Si haces del debate basado en la evidencia una costumbre, un número considerable de malos pensamientos dejarán de molestarte. Ningún esquema o creencia puede convencerte sin tu consentimiento.

El debate lógico

La pregunta clave que debes hacerte en este debate es: ¿cuál es la lógica que estoy utilizando? o ¿Cómo llegué a esta conclusión? La estructura irracional más común en la que se sustenta un pensamiento ilógico suele estar en las premisas falsas y/o en definiciones erróneas de las cuales partimos, ya que si éstas son inexactas, la conclusión también lo será.

Caso

Patricia se sentía muy culpable porque pensaba que no se hacía cargo lo suficiente de su padre, un señor muy anciano que vivía con una enfermera y una sobrina mayor. Su pensamiento negativo era demoledor: "Soy una mala hija... Yo abandono a mi padre...". Como veremos, las premisas y las definiciones de las que ella partía estaban viciadas o no se adecuaban a su conducta y por lo tanto su conclusión (pensamiento culposo), también lo estaba.

Terapeuta: Tú piensas que eres una mala hija, ¿verdad?

Patricia: Sí, no me cabe duda.

Terapeuta: Analicemos cómo has estructurado la secuencia lógica para llegar a semejante conclusión. El silogismo que usas es el siguiente:

> *Premisa mayor:* "Una buena hija **nunca abandona** a sus padres"
>
> *Premisa menor:* "Yo abandono a mi padre **casi todos los días**"
>
> *Conclusión:* "Soy una muy mala hija"

¿Estoy en lo correcto?

Patricia: Así es. Terrible...

Terapeuta: Si me permites quiero que veamos la consistencia lógica de tus argumentos. Utilicemos un recurso llamado *precisión semántica*. Tratemos de definir algunas de las palabras que utilizas en tu premisa mayor. ¿Cómo definirías "abandono"?

Patricia: Dejar a una persona librada a su suerte, sin nin-
              gún tipo de reparo, de manera desconsiderada…

Terapeuta: (Leyendo un diccionario) Según el diccionario
              "abandono" es: "Desistir, descuido, renuncia.
              Dejar un lugar". Tu explicación de abandono
              coincide bastante con la del diccionario. Pero
              tanto la definición tuya como la del diccionario
              no parecen concordar con el comportamiento
              que tienes frente a tu padre. Veamos esto en de-
              talle.

              En primer lugar, no has dejado a tu padre
              "librado a su suerte": hay dos personas cuidán-
              dolo, una de ellas es profesional en el área de la
              salud.

              En segundo lugar, la frase "sin ningún tipo
              de reparo" (es decir, sin "escrúpulos") que utili-
              zas en tu definición de "abandono", tampoco
              encaja con tu comportamiento. Por el contrario,
              a mí me parece que si hay algo que te sobra frente
              a la enfermedad de tu padre son escrúpulos.

              En tercer lugar, en tu definición aparece la
              palabra "desconsiderada", que significa descor-
              tés o desatenta, lo cual no es tu caso. Tú eres muy
              amable y cariñosa con tu padre y cuando te des-
              pides sufres bastante.

              En realidad, no veo que hayas renunciado a
              tu responsabilidad, ni que vayas a desistir de ha-

cerlo. Así que nuestro primer análisis nos muestra que la palabra "abandono" no es la más adecuada y es demasiado cruel para utilizarla en tu caso. Ni tu definición ni la del diccionario se acomodan a tu realidad personal. *Tú no abandonas a tu padre, más bien te "despides transitoriamente de él", que es muy distinto. Tú sabes que vas a volver al otro día, no te despreocupas ni te olvidas de él.* ¿Estás de acuerdo?

Patricia: En realidad, "abandono" sólo se trata de una palabra... Una manera de decir...

Terapeuta: No minimices las expresiones que utilizas. Los contenidos y significados de las palabras que empleamos normalmente nos definen en gran medida. Pueden maltratarnos o acariciarnos. No las subestimes.

Patricia: Está bien, tiene razón...

Terapeuta: En tu premisa mayor también utilizas la palabra "nunca", la cual me gustaría puntualizar un poco más. Uno puede ser buen hijo y no estar *siempre* y *a toda hora* con sus padres. La presencia física permanente puede ser síntoma de otro tipo de patología como la codependencia. Quieras o no, habrá momentos en los que debas ausentarte, sobre todo en tu caso, que eres una persona casada y con hijos. Así que decir que uno "nunca" debe ausentarse es una falacia, en tanto es imposible llevarlo a cabo. Los términos extremos como "nunca", "siempre", "todo" o "nada" te impiden ver los matices y terminan en autocastigo.

Patricia: (A regañadientes.) Puede ser…

Terapeuta: Pasemos a la premisa menor. Allí sostienes que abandonas a tu padre "casi todo los días". Tal como se desprende de lo que vimos antes, tú no "abandonas" a tu padre "casi todos los días", más bien, *lo dejas de visitar algunos días*, que es muy distinto. ¿Estás de acuerdo?

Patricia: ¡Derrumbó todo lo que pensaba!

Terapeuta: De eso se trata. De ser más exactos a la hora de establecer conclusiones. Aunque tú eres la que finalmente debe construir su propia secuencia racional, quiero mostrarte lo que podría ser una opción menos autodestructiva para ti:

> *Premisa mayor:* "Una buena hija hace **todo lo posible** para estar pendiente de sus padres y que no les falte lo indispensable" (tú la cumples).
>
> *Premisa menor:* "Yo hago **todo lo posible** para que a mi padre no le falte lo indispensable" (tú la cumples).
>
> *Conclusión (pensamiento racional/lógico):* "Soy una buena hija".

Con el tiempo Patricia pudo moderar sus pensamientos negativos y razonar de una manera menos dañina para ella, lo que le permitió superar los esquemas de dependencia y culpa.

Pensar bien es razonar bien, y para razonar bien hay que ser preciso.

El debate pragmático

Las preguntas que dirigen el debate pragmático son varias: ¿Adónde me llevará esta manera de pensar? ¿De qué forma estos pensamientos podrán ayudarme a tener una vida más placentera y productiva? ¿Qué pasaría si pudiera cambiar mis pensamientos negativos por otros más saludables y funcionales?

El debate pragmático se concentra en ver la *utilidad del pensamiento*, en sus ventajas y desventajas, a corto y mediano plazo. La disputa pragmática te obliga a pensar hacia adelante, a ser práctico, a evaluar en términos de costo/beneficio cualquier pensamiento o acción, a ver lo *absurdo, inútil* o *peligroso* de tus comportamientos.

Caso

Carmen era una mujer separada desde hacía muchos años. Con el tiempo había logrado montar una pequeña empresa de confecciones con la que sostenía a toda su familia. Debido posiblemente a la carga de la responsabilidad se había vuelto especialmente quisquillosa y crítica con sus trabajadores y seres queridos. Incluso una relación afectiva reciente se había roto debido a la agresividad y la intolerancia por parte de ella.

Cuando llegó a consultarme, sufría de migraña, insomnio, sudoración excesiva, dolores musculares e irritabilidad. La medicación psiquiátrica le había apaciguado los síntomas pero aún seguía manifestando una actitud ruda y hostil con quienes la rodeaban. Además de otros procedimientos técnicos, el debate pragmático fue determinante para su cambio definitivo. Veamos parte de una cita.

Terapeuta:	Los resultados de la autobservación muestran que gran parte de su malestar se origina en el trabajo y especialmente en los errores que comete el personal. Lo que usted llama la "ineficiencia crónica" de sus trabajadoras.
Carmen:	Así es, son demasiado inútiles.
Terapeuta:	Pese a todo, el producto sale a la venta, y por lo que usted me ha dicho, su calidad es buena.
Carmen:	Sí, pero eso se debe a que vigilo todo el tiempo a las trabajadoras.
Terapeuta:	En el registro aparece que uno de sus pensamientos más comunes es: "Todos son unos irresponsables. Si yo no me hiciera cargo, el negocio se acabaría". Bueno, supongo que deberá confiar en algunas empleadas, si no sería imposible salir adelante
Carmen:	Sí, unas pocas…
Terapeuta:	¿Es capaz de delegarles funciones a estas personas que considera confiables?

Carmen:	Me cuesta mucho hacerlo. También pienso que se van a equivocar…
Terapeuta:	Pero usted me acaba de decir que son eficientes…
Carmen:	Sí, pero no sé… Siempre me queda la duda…
Terapeuta:	Me pregunto si alguna vez se ha puesto a pensar seriamente sobre las consecuencias negativas que esta manera de pensar le ocasiona. En realidad usted le ve más ventajas que desventajas, porque piensa que el negocio ha salido adelante gracias a su hipervigilancia. No soy un experto en el área de la administración, pero se me ocurre que puede haber formas más relajadas de manejar una empresa. No sé qué piense usted al respecto.
Carmen:	No hay gente buena para el trabajo…
Terapeuta:	Si usted tuviera razón, sería imposible montar cualquier compañía. Conozco empresarios que se sienten orgullosos de sus colaboradores y confían en ellos. Estas personas logran hacerse cargo de sus negocios sin tanta angustia. Tratemos de ver qué desventajas le ocasiona su manera de pensar. ¿Es capaz de identificar alguna?
Carmen:	Me canso mucho, me pongo de mal humor… Me estoy enfermando, por eso estoy aquí…
Terapeuta:	Además, sus hijas se están alejando de usted y el ambiente laboral es bastante estresante…
Carmen:	La gente me tiene miedo… No pienso más que

en trabajar, me he quedado sin amigos y el mal humor hace que pelee con los demás...

Terapeuta: ¿No envidia un poco a la gente que no es tan perfeccionista y desconfiada?

Carmen: Claro, pero me da miedo aflojar el control...

Terapeuta: ¿Cómo ve su futuro?

Carmen: No pienso en ello.

Terapeuta: Trate de responderse estas preguntas: ¿le ha servido esta manera de pensar? ¿Se justifica todo el esfuerzo y la angustia que siente a diario? ¿Esta manera de pensar la ha alejado del amor de sus seres queridos o de la posibilidad de establecer una pareja estable? ¿Cómo se ve en el futuro: sola o acompañada? ¿Rodeada de amigos o de enemigos? ¿Se ve sana o enferma? ¿Alegre o malhumorada? ¿Con una actitud trascendente o pegada a la cotidianidad? ¿Relajada o tensa?

Carmen: Todas mis respuestas son malas...

Terapeuta: ¿No habrá otras opciones menos dañinas para enfrentar la vida? Si usted está convencida de que su estilo de pensamiento la llevará a estar cada vez peor, no tiene otra opción que modificarlo por un estilo más benigno, ya que de otra forma su pronóstico no será bueno. Le sugiero adoptar una nueva actitud basada en la conveniencia personal. La invito a razonar de otra manera. Por ejemplo: "Esta manera de pensar no me sirve, me hace sufrir a mí, a mis empleados y a mi familia, probablemente me enferme y termine siendo una persona sola y amargada". ¿No es suficiente motivación para el cambio? Algo conveniente es algo que le viene bien para su crecimiento integral como ser humano ¿No cree que ya se ha autocastigado bastante?

El debate pragmático, nos obliga a ubicarnos en un punto razonable. Funciona con una doble motivación: "Voy a cambiar, porque esta manera de ser no me sirve y me hace sufrir" y "Buscaré una manera de pensar que me haga crecer como persona y no me genere un sufrimiento inútil".

3. Detención del pensamiento y distracción

Dos de las estrategias más comunes que pueden llegar a calmar la ansiedad o la depresión ocasionada por los malos pensamientos son la *detención del pensamiento* y la *distracción*.[114,115,116]

Detención del pensamiento

Los pensamientos se relacionan unos con otros, formando complejas cadenas altamente resistentes al cambio. La tarea consiste en bloquear los primeros eslabones de la cadena de pensamientos para evitar la propagación de ideas irracionales.

Caso

Uno de mis pacientes mostraba una secuencia de treinta pensamientos encadenados. Comenzaba por: "No le gusto a las mujeres", y en menos de un minuto terminaba con: "Pasaré mi vejez solo y abandonado". Sus intentos por detener los pensamientos negativos eran infructuosos porque sólo accedía a ellos al final de la cadena. Veamos cómo logró aplicar la técnica.

Terapeuta: Vamos a tratar de bloquear el pensamiento negativo apenas éste comience. Como usted ha podido observar, cada pensamiento se engancha con el siguiente, de tal forma que si los deja funcionar en asociación libre, la mente terminará siendo una madeja de irracionalidad.

Paciente: Eso me quedó claro. Fue difícil darme cuenta y captar el pensamiento apenas empezaba, pero ya soy capaz, es como una alarma que se prende.

Terapeuta: Es una buena analogía. Se debe crear un sistema de emergencia que active una señal, algo así como: "Primer pensamiento activado", o segundo o tercero. Lo importante es no ser pasivo o ignorante ante la conformación de la cadena. Veamos ahora qué sigue. Quiero que cierre los ojos y que conscientemente active el pensamiento negativo inicial: "Yo no le gusto a las mujeres". Una vez lo logre, quédese con el pensamiento y avíseme levantando la mano.

Cuando el paciente levantó la mano, di un fuerte golpe sobre la mesa y grité: "¡*Stop!*", "¡*Stop!*",

"¡No más!" El señor, pegó un salto y abrió los ojos sin comprender lo que pasaba.

Paciente: ¿Qué pasó?

Terapeuta: Acabo de aplicar la técnica de la *detención del pensamiento*. Trate de pensar otra vez en el pensamiento negativo… Inténtelo…

Paciente: No puedo, no sé en qué estaba…

Terapeuta: Se disolvió la cadena, se cortó el flujo de información.

Paciente: Bueno, sí, es verdad… Pero usted no pretenderá que yo haga esto en público, creerían que estoy loco…

Terapeuta: Si nadie lo ve puede hacerlo tal cual: decirse a usted mismo "¡*Stop*!", "¡Alto!" o utilizar otra palabra que le resulte cómoda relacionada con la detención y golpear sus manos con fuerza. Sin embargo, usted también puede activar un "*stop*" interno… Intente otra vez volver a su pensamiento negativo y concéntrese de nuevo en la idea de que no tiene éxito con las mujeres; cuando alcance a estabilizar el pensamiento, aplique el método.

A los pocos segundos el paciente gritó: "¡Alto!", "¡Basta!", y golpeó el escritorio con ambas manos. Luego espero unos segundos, abrió los ojos y dijo con alivio: "Sí, sí funciona… Ya no puedo pensar en ello".

Terapeuta: Bien, vamos a repetir el ejercicio tres o cuatro veces con otros pensamientos, pero en cada intento irá disminuyendo el volumen de la palabra "¡Alto!", hasta convertirla en un susurro apenas oíble y que finalmente se transforme en puro pensamiento. Cuando llegue a ese punto solamente *pensará* en la palabra "¡*Stop*!" o "¡Alto!", y ya no dará ningún golpe. Esto se denomina *lenguaje interno*, similar al aprendizaje inicial de la meditación. Recuerde que lo más importante es detener el pensamiento en sus inicios, esto no eliminará el problema de fondo pero le permitirá sentir alivio y desarrollar un sentido de autocontrol y dominio.

Distracción

La distracción es un método que podemos aplicar cuando los pensamientos negativos se encuentran en un nivel moderado o incluso para prevenir la aparición de los mismos[117,118]. La distracción depende de los gustos y de la capacidad creativa del sujeto. Podemos distraernos de diferentes maneras: entablando una conversación con alguien, llamando por teléfono, viendo un programa de televisión, haciendo ejercicios extenuantes, leyendo un buen libro o incluso haciendo meditación. Cuando nos concentramos en lo que hacemos, la mente olvida los pensamientos por un rato. Un ejemplo típico ocurre cuando nos dejamos absorber por una buena película.

Durante una hora y media o dos, dejamos de existir para el mundo. Muchas personas que sufren de ansiedad sienten tristeza cuando se acaba la filmación. Una señora que sufría de ansiedad generalizada describía así sus experiencias "trascendentes" cuando iba al cine: "Estoy feliz y relajada, todo mi estrés desaparece, no tengo conciencia de mí, es como si fuera parte de la película, de otra realidad... Pero lo más espantoso sucede cuando la función termina y vuelvo a la angustia cotidiana... Por eso soy adicta al cine...".

Epílogo

Pensar bien requiere, al menos, de tres procesos básicos:

1. Identificar y controlar las distorsiones cognitivas (sesgos, profecías autorrealizadas y evitación) para *ver las cosas como son* y disminuir la *resistencia al cambio*.

2. Identificar y eliminar los *malos pensamientos* responsables de las emociones destructivas y reemplazarlos por pensamientos más adaptativos que incluyan flexibilidad, optimismo, serenidad y moderación.

3. Crear y poner a funcionar *esquemas saludables* para mejorar la calidad de vida e incrementar la inmunidad a las enfermedades psicológicas.

Pensar bien es entablar un diálogo sostenido y sistemático contigo mismo. Un diálogo que incluya tus experiencias de vida y las relaciones que estableces con los demás y el mundo que te rodea.

Pensar bien es pensar racionalmente, sin descuidar la emoción y los sentimientos. Puedes amar apasionadamente a tu pareja, emocionarte ante un esplendoroso amanecer, sentir compasión por un niño enfermo y, sin embargo, mantenerte fiel a la razón. Ser una persona racional no significa excluir el afecto de tu vida sino *integrarlo de manera razonada y razonable*. Examinar de manera inteligente lo que piensas y sientes, tomar conciencia de ti mismo, de tus contradicciones, de tu irracionalidad enmascarada.

Pero ocurre que no tomamos en serio la tarea. Nos atrae más lo banal y superficial, que lo trascendente. Reflexionar seriamente sobre la mente requiere de una tremenda inversión de energía, una motivación constante y una atención activa. Ganas, deseo y necesidad, todo junto, sin excusas, sin miedo.

Pensar bien implica dirigir la preocupación a lo que de verdad vale la pena. Sócrates nos lo recuerda cuando cuestionaba a sus acusadores en el juicio que lo conduciría a la muerte[119]:

"Mi buen amigo, siendo ateniense, de la ciudad más grande y más prestigiosa en sabiduría y poder, ¿no te avergüenzas de preocuparte de cómo tendrás las mayores riquezas y la mayor fama y los mayores honores, y, en cambio, no te preocupas ni te interesas por la inteligencia, la verdad y por cómo tu alma va a ser lo mejor posible?" (pág. 41).

Pensar bien es pensar con la menor cantidad posible de sesgos y distorsiones. Se trata de limpiar y actualizar la mente para que sea más flexible y eficiente, más aguda en sus análisis, más equilibrada, más sabia.

Pensar bien requiere de una buena dosis de escepticismo

sano para que puedas abarcar los pensamientos sin descuidar los hechos. Si no tomamos un punto de referencia empírico y realista, el pensamiento supersticioso hará su aparición. No necesito de las hadas para sentir la belleza sublime de los bosques, ni requiero de ángeles y querubines para que el firmamento me maraville. Un buen ejemplo es el de los budistas, que viven permanentemente inquietos por los avances científicos para saber qué tan cerca o lejos están de la realidad.

Pensar bien es hacer a un lado la ignorancia. El monje tibetano Metthieu Ricard[120] así lo afirma:

> "Luego tenemos la ignorancia, es decir, la falta de discernimiento entre lo que debemos alcanzar o evitar para alcanzar la felicidad y escapar del sufrimiento. Aunque Occidente no suela considerar la ignorancia como una emoción, se trata de un factor mental que impide la aprehensión lúcida y fiel de la realidad. En tal sentido puede ser considerada como un estado mental que oscurece la sabiduría…" (pág. 116).

Aunque la felicidad no dependa directamente de la razón, cuando pensamos bien y somos capaces de fundamentar inteligentemente nuestras acciones, un dejo de tranquilidad asoma. Es la alegría que potencia el ser, es la sensación de que estamos obrando a conciencia.

Pensar bien no es sentirse el centro del universo y hacer una apología al egocentrismo y la egolatría. Si mañana fallecieran todos los seres humanos, el mundo seguiría su curso. Los ríos no cambiarían su cause, ni las montañas dejarían de ocupar el lugar que ocupan. Somos espectadores participantes de la existencia, pero el universo no necesita de nosotros para existir.

Somos malos procesadores de la información, ésa es la verdad. Pero al mismo tiempo tenemos a nuestra disposición las herramientas para gestar nuestra propia revolución psicológica y hacer del pensamiento un elemento liberador. La transformación está en tus manos.

Bibliografía

1. Millon, T. (1999). *Trastornos de la personalidad*. Barcelona: Masson.
2. Pretzer, L. J. y Beck, A. T. (1996). "A Cognitive Theory of Personality Disorders". En J. F. Clarkin y M. F. Lenzenweger (Eds), *Major Theories of Personality Disorders*. Nueva York: The Guilford Press.
3. Riso, W. (en prensa). *La terapia cognitiva: Formulación de casos y creación de esquemas adptativos*. Bogotá: Norma.
4. Lopez-Ibor, J. y Valdés, M. (2002). *Manual diagnostico y estadístico de los trastornos mentales* (DSM-IV- TR). Barcelona: Masson.
5. de Chardin, T. (1974). *El fenómeno humano*. Argentina: Hyspamericana ediciones.
6. Krishnamurti, J. (1999). *Reflexiones sobre el yo*. Buenos Aires: Edaf.
7. Torres, J. S., Mejías, F. T. y Milán, E.G. (1999). *Procesos psicológicos básicos*. Madrid: McGraw-Hill.
8. Leahy, R. L. (2001). *Resistance in Cognitive Therapy*. Nueva York: The Guilford Press.
9. Eysenck, M. W. (1999). "Cognitive Biases in Social Phobia". *Ansiedad y estrés, 5*, 275-284.
10. Baron, R. A. y Borne, D. (1998). *Psicología social*. Madrid: Prentice Hall.
11. Mathews, A. y MacLeod, C. (1994). "Cognitive Approaches to Emotion and Emotional Disorders". *Annual Review of Psychology*, 45, 25-30.
12. Rapee, R. M., Mc Callum, S. L., Melville, L. F., Ravenscroft, H. y Rodney, J. M. (1994). "Memory Bias in Social Phobia". *Behaviour Research and Therapy*, 32, 89-99.
13. Markus, H. y Wurf, E. (1987). "The Dinamic Self-Concept: A Social Psychological Perspective". *Annual Review of Psychology*, 38, 299-337.
14. Bower, G. H. (1987). "Commentary on Mood and Memory". *Behaviour Research and Therapy*, 25, 443-455.
15. Gilbert, D. T. y Malone, P.S. (1995). "The Correspondence Bias". *Psychological Bulletin*, 117, 21-38.
16. Ross, L. (1977). "The Intuitive Psychologist and His Shortcoming: Distortions in

the Attribution Process". En L. Berkowitz (Ed.). *Advances in Experimental Social Psychology*. Nueva York: Academic Press.

17. Eysenck, M. W. (1997). *Anxiety and Cognition: A Unified Theory*. Londres: Psych   Press.

18. Safran, J. D. y Segal, Z. V. (1994). *El proceso interpersonal en la terapia cognitiva*. Buenos Aires: Paidós.

19. Olson, J. M., Roese, N. J. y Zanna, M. P. (1996). *"Expectancies"*. En E. T. Higgins y A. W. Kruglanski (Eds.). *Social Psychology Handbook of Basic Principles*. Nueva York: The Guilford Press.

20. Worchel, S., Cooper, J., Goethaals, G. R. y Olson, J. M. (2002). *Psicología social*. Mexico: Thomson.

21. Beck, A. (1996). "Beyond Belief: A Theory of Modes, Personality, and Psychopathology". En P. M. Salkovskis (Ed.). *Frontiers of Cognitive Therapy*. Nueva York: The Guilford Press.

22. Beck, J. S. (1995). *Cognitive Therapy: Basics and Beyond*. Nueva York: The Guilford Press.

23. Clark, D. A. y Beck, A. T. (1999). *Scientific Foundations of Cognitive Theory and Therapy of Depression*. Nueva York: John Wiley.

24. Gracia, D. (2001). *Bioética clínica*. Bogotá: Editorial El Búho.

25. Mithen, S. (1998). *Arqueología de la mente*. Barcelona: Drakontos.

26. Guidano, V. F. (1997). "Un enfoque constructivista de los procesos del conocimiento humano". En M. J. Mahoney (Ed). *Psicoterapias cognitivas y constructivistas*. Madrid: DDB.

27. Zubirí, X. (1986). *Sobre el hombre*. Madrid: Alianza Editorial.

28. Watts, A. (1990). *El futuro del éxtasis*. Buenos Aires: Kairos.

29. Watts, A. (1993). *Nueve meditaciones*. Buenos Aires: Kairos.

30. Chuang-Tzu (1993). *Pensamiento filosófico*. Caracas: Monte Ávila Editores.

31. Heráclito (1983). *Fragmentos*. Argentina: Hyspamericana Ediciones.

32. Brosse, J. (1994). *Maestros espirituales*. Madrid: Alianza Editorial.

33. Comte, F. (1995). *Los libros sagrados*. Madrid: Alianza Editorial.

34. Lama Nydahl, O. (1994). *La naturaleza de la mente*. Bogotá: Garuda.

35. Lama Nydahl, O. (1997). *Las cosas como son*. Bogotá: Garuda.

36. Calle, R. A. (1999). *Buda*. México: Grupo Editorial Tomo.

37. Alford, B. A. y Beck, A. (1997). *The Integrative Power of Cognitive Therapy*. Nueva York: The Guilford Press.

38. Rape, R. M. (1996). *Current Controversies in the Anxiety Disorders*. Nueva York: The Guilford Press.

39. Guidano, V. F. (1998). "La autobservación en la psicoterapia constructiva". En R. A. Neimeyer y M. J. Mahoney (Ed). *Constructivismo en psicoterapia*. Barcelona: Paidós.

40. Wells, A. (2000). *Emotional Disorders and Metacognition.* Nueva York: John Wiley and Sons.

Ögyam T. (1992). *Materialismo espiritual.* Bogotá: Karma Chö Phel Ling.

42. Varela, F. j.,Thompson, E. y E. Rosca. (1997). *De cuerpo presente.* Barcelona: Gedisa.

43. Calle, R. (1991). *Las parábolas de Buda y Jesús.* Madrid: Heplade.

44. Riso, W. (1990). *Depresión: avances recientes en cognición y procesamiento de la información.* Medellín: CEAPC.

45. Goleman, D. (2003). *Emociones destructivas.* Buenos Aires: Vergara Editores.

46. Hollon, S. D., y Kriss, M. (1984). "Cognitive Factors in Clinical Research and Practice". *Clinical Psychology Review*, 4, 35-76.

47. Riso, W. (1988). *Entrenamiento asertivo.* Medellín: Rayuela.

48. Seligman, M.E.P. (1990). *Learned Optimism: How to Change Your Mind and Your Life.* Nueva York: Pocket Books.

49. Perloff, L. S. (1987). "Social Comparison and Illusions of Invulnerability". En C.R. Synder y C. R. Ford (Eds). *Coping with Negative Life Events: Clinical and Social Psychological Perspectives.* Nueva York: Plenum Press.

50. Chang, E. C. (2002)."Optimism-Pesimism and Stress Appraisal: Testing a Cognitive Interactive Model of Psychological Adjustment in Adults". *Cognitive Therapy and Research*, 26, 675-690.

51. Ellis, A. (2001). *Usted puede ser feliz.* Barcelona: Paidós.

52. Newman, C. F., Leahly, R. L., Beck, A. T., Reilly-Harrington, N. A. y Gyulai, L. (2002). *Bipolar Disorder.* Washington: American Psychological Association.

53. Beck, A. (1983). *Terapia cognitiva de la depresión.* Barcelona: DDB.

54. Aristóteles. (1998). *Ética nicomaquea. Ética eudemia.* Madrid: Biblioteca Clásica Gredos.

55. Rotter, J. B. (1966)."Generalized Expectancies for Internal Versus External Control of Reinforcement". *Psychological Monographs*, 80, 1.

56. Nolen-Hoeksema, S. (2000)."The Role of Rumination in Depressive Disorders and Mixed Anxiety/Depressive Symptoms". *Journal of Abnormal Psyhcology*, 109, 504- 511.

57. Robinson, M. S. y Alloy, L. B. (2003). "Negative Cognitive Styles and Stress-Reactive Rumiation Interact to Predict Depression: A Prospective Study". *Cognitive Therapy and Research*, 27, 275-293.

58. Ingram, R. E., Miranda, J. y Segal, Z. (1998). *Cognitive Vulnerability to Depression.* Nueva York: The Guilford Press.

59. Papagiorgiou, C. y Suegle, J. G. (2003). "Rumiation and Depression: advances in theory and research". *Cognitive Therapy and Research*, 27, 243-245.

60. Romo, N. (1998). *Psicología de la creatividad.* Barcelona: Paidós.

61. Cohen, M. y Nagel, E. (1977). *Introducción a la lógica y al método científico.* Tomo I. Buenos Aires: Amorrortu Editores.

62. Beck, A. T., y Freeman, A. (1995). *Terapia cognitiva de los trastornos de personalidad*. Buenos Aires: Paidós.

63. Burns, D. D. (1998). *Sentirse bien: una nueva fórmula contra las depresiones*. Barcelona: Paidós.

64. de Vega, M. (1984). *Introducción a la psicología cognitiva*. Madrid: Alianza Editorial.

65. Simon, H. H. (1995). "La teoría del procesamiento de la información sobre la resolución de problemas". En M. Carretero y J. A. García Madruga (Com.). *Lecturas de psicología del pensamiento*. Madrid: Alianza Editorial.

66. Chuang-Tzu (1991). *Pensamiento filosófico*. Caracas: Monte Ávila Editores.

67. Fromm, E. (1992). *El humanismo como utopía real*. Barcelona: Paidós.

68. Fromm, E. (2003). *La atracción a la vida*. Barcelona: Paidós.

69. Maestro Eckhart. (1998). *El fruto de la nada*. Madrid: Siruela.

70. Laercio, D. (2002). *Vida de los más ilustres filósofos griegos*. Barcelona: Folio.

71. Montaigne, M. (2002). *Ensayos*. Tomos I, II, III. Madrid: Cátedra.

72. Sokal, A. y Bricmont. J. (1999). *Imposturas intelectuales*. Barcelona: Paidós.

73. Camps, V. (1999). *Paradojas del individualismo*. Madrid: Biblioteca de Bolsillo.

74. Cavallé, M. (2002). *La sabiduría recobrada*. Madrid: Grupo Anaya.

75. Maturana, H. (1997). *Emociones y lenguaje en educación y política*. Chile: Dolmen Ediciones.

76. Eco, U. (1997) *¿En qué creen los que no creen?* Barcelona: Planeta.

77. Singer, P. (2001). *Ética para vivir mejor*. Bogotá: Planeta.

78. Gomá, F. (2003). "Scheler y la ética de los valores". En V. Camps (Ed). *Historia de la ética*. Tomo III. Barcelona: Crítica.

79. Comte-Sponville, A. (2002). *Invitación a la filosofía*. Barcelona: Paidós.

80. Kant, E. (1996). *Fundamentos de la metafísica de las costumbres*. Madrid: Espasa Calpe.

81. Spinoza. (1995). *Ética*. Madrid: Alianza.

82. Popper, K. R., y Eccles, C. L. (1982). *El yo y el cerebro*. Barcelona: Labor Universitaria.

83. Melillo, A., Estamatti, M. y Cuestas, A. (2002). "Algunos fundamentos psicológicos del concepto de resiliencia". En A. Mellizo y E. N. Suarez Ojeda (Comp.). *Resiliencia*. Argentina: Paidós.

84. Sabater, J. (1984). *El chimpancé y los orígenes de la cultura*. Barcelona: Anthropos.

85. Singer, P. (2002). *Una vida ética*. España: Taurus.

86. Comte-Sponville, A. y Ferry, L. (1999). *La sabiduría de los modernos*. Barcelona: Península.

87. Fromm, E. (1997). *Ética y psicoanálisis*. México: Fondo de Cultura Económica.

88. Séneca (1996). *La constancia del sabio. La tranquilidad del alma. El ocio*. Bogotá: Norma.

89. Comte-Sponville, A. (2001). *La felicidad desesperadamente*. Barcelona: Paidós.

90. Pascal, B. (2001). *Pensamientos*. Madrid: Valdemar.

91. Duhot. J. (2003). *Epícteto y la sabiduría estoica*. Barcelona: José J, de Olañeta.

92. Epicúreo (2000). *Sobre la felicidad*. Barcelona: Debate.

93. de Botton, A. (2001). *Las consolaciones de la filosofía*. Madrid: Taurus.

94. Begoña, R. (2000). "Nuevas perspectivas de la educación moral: epicúreos y estoicos". En C. Vilanou y E. Colleldemont (Coord.). *Historia de la educación en valores*. Bilbao: DDB.

95. Comte-Sponville, A. (1997). *Pequeño tratado de las grandes virtudes*. Barcelona: Editorial Andrés Bello.

96. Jankélévich, V. (1999). *El perdón*. Barcelona: Seix Barral.

97. Wiesenthal, S. (1998). *Los límites del perdón*. Barcelona: Paidós.

98. Beck, A. (2003). *Prisioneros del odio*. Barcelona: Paidós.

99. Fromm, E. (1996). *¿Tener o ser?* México: Fondo de Cultura Económica.

100. Derrida, J. (2003). *El siglo y el perdón*. Buenos Aires: La Flor.

101. Ellis, A. (1999). *Una terapia breve más profunda y duradera*. Barcelona: Paidós.

102. Comte-Sponville, A. (2003). *Diccionario filosófico*. Barcelona: Paidós.

103. Krishnamurti, J. (1998). *Hacia la libertad total*. Buenos Aires: Errepar.

104. Semari, A. (2002). *Historia, teorías y técnicas de la psicoterapia cognitiva*. Barcelona: Paidós.

105. Krishnamurti, J. (1999). *La mente que no mide*. Buenos Aires: Errepar.

106. Cohen, M. y Nagel, E. (1977). *Introducción a la lógica y al método científico*. Tomo II. Buenos Aires: Amorrortu Editores.

107. Hamilton, D. L., Sherman, S. J. y Ruvolo, C. (1990). "Stereotype-Based Expectancies: Effects on Information Processing and Social Behavior". *Journal of Social Issues*, 46, 35-60.

108. Berndsen, M., Spears, R. y Van der Plight, J. (1996). "Illusory Correlation and Attitude-Based Vested Interest". *European Journal of Social Psychology*, 26, 247-264.

109. Piatelli, P. M. (1995). *Los túneles de la mente*. Barcelona: Grijalbo–Mondadori.

110. Tversky, A. y Kahneman, D. (1973). "Availability: A Heuristic for Judging Frequency and Probability". *Cognitive Psychology*, 5, 207-232.

111. Kahneman, D. y Tversky, A. (1973). "On the Psychology of Prediction". *Psychological Review*, 80, 237-251.

112. Huppert. J. D., Foa, E. B., Furr, J. M., Filip, J. C. y Mathews, A. (2003). "Interpretation Bias in Social Anxiety: A Dimensional Perpective". *Cognitive Therapy and Research*, 27, 569-579.

113. Riso, W. (2003). *Cuestión de dignidad*. Bogotá: Norma.

114. Steffen, F., Groeger, W., Künzel, R. y Schulte, D. (1989). *Métodos estándar de la terapia del comportamiento*. Bogotá: Unión Gráfica Editores.

115. Labrador, J. F. (1993). *Manual de técnicas de modificación y terapia de la conducta*. Madrid: Pirámide.

116. Wenzlaff, R. M. y Luxton, David, D. (2003). "The Role of Thought Suppression in Depressive Rumiation". *Cognitive Therapy and Research*, 27, 293-309.

117. Ellis, A. y Abrahms, E. (2001). *Terapia racional emotiva*. Bogotá: Alfomega.

118. McMullin, R. E. (2000). *The New Handbook of Cognitive Therapy Techniques*. Nueva York: W. W. Norton & Company.

119. Hadot, P. (1998). *¿Qué es la filosofía antigua?* México: Fondo de Cultura Económica.

120. Matthieu, R. (2003). "Una psicología budista". En Goleman, D. (Ed.), *Emociones destructivas*. Buenos Aires: Vergara Editores.